漢字検定

2級

頻出度順問題集

高橋書店

頻出ベスト100

書き取り

訓読みを優先して覚えよう

「書き取り」では、音読み12問、読み10問、ことわざ3問程度が出題される。中でも訓読みは繰り返し出題されやすい。優先的に対策しよう。

	問題	解答
1	ウい	憂い
2	アオぐ	仰ぐ
3	タワムれる	戯れる
4	コりる	懲りる
5	ザンパイ	惨敗
6	（マッチを）スる	擦る
7	ハサむ	挟む
8	イツクしむ	慈しむ
9	イキドオる	憤る
10	カモす	醸す
11	クツガエる	覆る
12	カツぐ	担ぐ
13	カンバしい	芳しい
14	ソウゴン	荘厳
15	マカナう	賄う
16	ネンゴろ	懇ろ
17	コがす	焦がす
18	シャフツ	煮沸
19	（蚕の）マユ	繭
20	チギる	契る
21	カタワら	傍ら
22	エリモト	襟元
23	クントウ	薫陶
24	ミジめ	惨め
25	（寺の）コンリュウ	建立
26	アナドる	侮る
27	ジョウジュ	成就
28	ウヤウヤしい	恭しい
29	ホテる	火照る
30	シタツヅミ	舌鼓
31	ユイショ	由緒
32	イソウロウ	居候
33	カナでる	奏でる
34	ウンデイ	雲泥
35	ケンアン（事項）	懸案
36	コウデイ	拘泥
37	ウネ	畝
38	カツボウ	渇望
39	カタスミ	片隅
40	（責任）テンカ	転嫁
41	オウイン（する）	押印
42	（淡水の）コショウ	湖沼
43	（弓の）ツル	弦
44	アヤマち	過ち

45 (答えに)キュウする ▼ 窮する
46 テッパイ ▼ 撤廃
47 ヨジョウ(分を捨てる) ▼ 余剰
48 アミダナ ▼ 網棚
49 タダし ▼ 但し
50 カンボツ ▼ 陥没
51 モトイ ▼ 基
52 メキき ▼ 目利き
53 ヒガタ ▼ 干潟
54 サクイン ▼ 索引
55 (牛の角を)タめる ▼ 矯める
56 タマワる ▼ 賜る
57 オウセイ ▼ 旺盛
58 ホッする ▼ 欲する

59 ヒトキワ ▼ 一際
60 カラむ ▼ 絡む
61 タクみ ▼ 巧み
62 バイヨウ ▼ 培養
63 コクビャク ▼ 黒白
64 ウえる ▼ 飢える
65 フける ▼ 老ける
66 イヤ ▼ 嫌
67 ミサキ ▼ 岬
68 ビョウソウ ▼ 病巣
69 ホウビ ▼ 褒美
70 キザし ▼ 兆し
71 クンプウ ▼ 薫風
72 (辞書の)ハンレイ ▼ 凡例

73 ボンノウ ▼ 煩悩
74 ケイリュウ ▼ 渓流
75 アキラめる ▼ 諦める
76 ベンギ(を図る) ▼ 便宜
77 サトす ▼ 諭す
78 チュウシン(より同情する) ▼ 衷心
79 (気持ちを)クむ ▼ 酌む
80 (息を)ヒソめる ▼ 潜める
81 リンリ ▼ 倫理
82 キョウシュウ ▼ 郷愁
83 スズ ▼ 鈴
84 ソソノカす ▼ 唆す
85 フッテイ ▼ 払底
86 ジュンカン ▼ 循環

87 (肌に)サワる ▼ 触る
88 モンピ ▼ 門扉
89 チカう ▼ 誓う
90 (川が)カッする ▼ 渇する
91 イまわしい ▼ 忌まわしい
92 (国を)スべる ▼ 統べる
93 ツチカう ▼ 培う
94 (気に)サワる ▼ 障る
95 シンジュ ▼ 真珠
96 シッソウ ▼ 失踪
97 サルシバイ ▼ 猿芝居
98 ニョジツ ▼ 如実
99 ツくす ▼ 尽くす
100 キツモン ▼ 詰問

頻出ベスト100

対義語・類義語

複数の語が対応する熟語に注意

「対義語・類義語」は対になる語を答える問題。軽侮⇔尊敬、軽侮⇔崇拝のように、複数の語と対応する熟語に注意しよう。

対義語

No.	問題		解答
1	横柄（おうへい）	⇕	謙虚（けんきょ）
2	固辞（こじ）	⇕	快諾（かいだく）
3	偉大（いだい）	⇕	凡庸（ぼんよう）
4	炎暑（えんしょ）	⇕	酷寒（こっかん）
5	斬新（ざんしん）	⇕	陳腐（ちんぷ）
6	高遠（こうえん）	⇕	卑近（ひきん）
7	老巧（ろうこう）	⇕	稚拙（ちせつ）
8	粗雑（そざつ）	⇕	緻密（ちみつ）
9	汚濁（おだく）	⇕	清澄（せいちょう）
10	潤沢（じゅんたく）	⇕	枯渇（こかつ）
11	愛護（あいご）	⇕	虐待（ぎゃくたい）
12	任命（にんめい）	⇕	罷免（ひめん）
13	下落（げらく）	⇕	騰貴（とうき）
14	褒賞（ほうしょう）	⇕	懲罰（ちょうばつ）
15	明瞭（めいりょう）	⇕	曖昧（あいまい）
16	巧妙（こうみょう）	⇕	拙劣（せつれつ）
17	多弁（たべん）	⇕	寡黙（かもく）
18	尊敬（そんけい）	⇕	軽侮（けいぶ）
19	反逆（はんぎゃく）	⇕	恭順（きょうじゅん）
20	哀悼（あいとう）	⇕	慶賀（けいが）
21	暫時（ざんじ）	⇕	恒久（こうきゅう）
22	個別（こべつ）	⇕	一斉（いっせい）
23	混乱（こんらん）	⇕	秩序（ちつじょ）
24	不毛（ふもう）	⇕	肥沃（ひよく）
25	慶賀（けいが）	⇕	哀悼（あいとう）
26	過激（かげき）	⇕	穏健（おんけん）
27	発病（はつびょう）	⇕	治癒（ちゆ）
28	富裕（ふゆう）	⇕	貧窮（ひんきゅう）
29	隆起（りゅうき）	⇕	陥没（かんぼつ）
30	虚弱（きょじゃく）	⇕	強壮（きょうそう）
31	下賜（かし）	⇕	献上（けんじょう）
32	決裂（けつれつ）	⇕	妥結（だけつ）
33	進出（しんしゅつ）	⇕	撤退（てったい）
34	暴露（ばくろ）	⇕	秘匿（ひとく）
35	栄転（えいてん）	⇕	左遷（させん）
36	威圧（いあつ）	⇕	懐柔（かいじゅう）
37	分割（ぶんかつ）	⇕	一括（いっかつ）
38	賢明（けんめい）	⇕	暗愚（あんぐ）
39	国産（こくさん）	⇕	舶来（はくらい）
40	自生（じせい）	⇕	栽培（さいばい）
41	覚醒（かくせい）	⇕	催眠（さいみん）
42	凡才（ぼんさい）	⇕	逸材（いつざい）
43	極端（きょくたん）	⇕	中庸（ちゅうよう）
44	粗略（そりゃく）	⇕	丁寧（ていねい）

45 獲得（かくとく） ↔ 喪失（そうしつ）
46 名誉（めいよ） ↔ 恥辱（ちじょく）
47 絶賛（ぜっさん） ↔ 罵倒（ばとう）
48 挫折（ざせつ） ↔ 貫徹（かんてつ）
49 純白（じゅんぱく） ↔ 漆黒（しっこく）
50 真実（しんじつ） ↔ 虚偽（きょぎ）

類義語

1 互角（ごかく） ＝ 伯仲（はくちゅう）
2 他界（たかい） ＝ 逝去（せいきょ）
3 譲歩（じょうほ） ＝ 妥協（だきょう）
4 荘重（そうちょう） ＝ 厳粛（げんしゅく）
5 混乱（こんらん） ＝ 紛糾（ふんきゅう）
6 根絶（こんぜつ） ＝ 撲滅（ぼくめつ）
7 卓抜（たくばつ） ＝ 傑出（けっしゅつ）
8 激怒（げきど） ＝ 憤慨（ふんがい）
9 順次（じゅんじ） ＝ 逐次（ちくじ）
10 祝福（しゅくふく） ＝ 慶賀（けいが）
11 脅迫（きょうはく） ＝ 威嚇（いかく）
12 考慮（こうりょ） ＝ 酌量（しゃくりょう）
13 反逆（はんぎゃく） ＝ 謀反（むほん）
14 湯船（ゆぶね） ＝ 浴槽（よくそう）
15 猛者（もさ） ＝ 豪傑（ごうけつ）
16 昼寝（ひるね） ＝ 午睡（ごすい）
17 来歴（らいれき） ＝ 由緒（ゆいしょ）
18 永遠（えいえん） ＝ 悠久（ゆうきゅう）
19 面倒（めんどう） ＝ 厄介（やっかい）
20 残念（ざんねん） ＝ 遺憾（いかん）
21 死角（しかく） ＝ 盲点（もうてん）
22 無口（むくち） ＝ 寡黙（かもく）
23 貧困（ひんこん） ＝ 窮乏（きゅうぼう）
24 抜粋（ばっすい） ＝ 抄録（しょうろく）
25 公表（こうひょう） ＝ 披露（ひろう）
26 歴然（れきぜん） ＝ 顕著（けんちょ）
27 寄与（きよ） ＝ 貢献（こうけん）
28 歴史（れきし） ＝ 沿革（えんかく）
29 気分（きぶん） ＝ 機嫌（きげん）
30 推移（すいい） ＝ 変遷（へんせん）
31 平穏（へいおん） ＝ 安寧（あんねい）
32 中核（ちゅうかく） ＝ 枢軸（すうじく）
33 熟知（じゅくち） ＝ 通暁（つうぎょう）
34 無欠（むけつ） ＝ 完璧（かんぺき）
35 降格（こうかく） ＝ 左遷（させん）
36 絶壁（ぜっぺき） ＝ 断崖（だんがい）
37 調和（ちょうわ） ＝ 均衡（きんこう）
38 功名（こうみょう） ＝ 殊勲（しゅくん）
39 全治（ぜんち） ＝ 平癒（へいゆ）
40 回復（かいふく） ＝ 治癒（ちゆ）
41 歳月（さいげつ） ＝ 光陰（こういん）
42 難点（なんてん） ＝ 欠陥（けっかん）
43 奮戦（ふんせん） ＝ 敢闘（かんとう）
44 掃討（そうとう） ＝ 駆逐（くちく）
45 解雇（かいこ） ＝ 罷免（ひめん）
46 折衝（せっしょう） ＝ 交渉（こうしょう）
47 豊富（ほうふ） ＝ 潤沢（じゅんたく）
48 工面（くめん） ＝ 捻出（ねんしゅつ）
49 指揮（しき） ＝ 采配（さいはい）
50 筋道（すじみち） ＝ 脈絡（みゃくらく）

頻出ベスト48

四字熟語

由来を知ると意味を覚えやすい

「四字熟語」は書き取りと意味を答える。由来を知ると覚えやすい。例えば、泰山北斗は「泰山や北斗七星のように見上げられる人＝第一人者」という意味になる。

No.	四字熟語	読み	意味
1	秋霜烈日	しゅうそうれつじつ	刑罰や権威などが極めて厳しいこと
2	百八煩悩	ひゃくはちぼんのう	仏教語で、人間が持つ多くのなやみのこと
3	懇切丁寧	こんせつていねい	親切でこころが行き届いていること
4	換骨奪胎	かんこつだったい	外形は同じままで中身を取りかえる
5	内疎外親	ないそがいしん	外見は親しそうだが実は違うこと
6	精進潔斎	しょうじんけっさい	心身を清め汚れのない状態にする
7	合従連衡	がっしょうれんこう	利害に応じて団結したり離れたりする
8	綱紀粛正	こうきしゅくせい	乱れた規律をただすこと
9	文人墨客	ぶんじんぼっかく	詩や書画などにたずさわる人
10	放歌高吟	ほうかこうぎん	あたりかまわず大声で歌うこと
11	雲泥万里	うんでいばんり	比較にならないほどの大きな差異
12	枝葉末節	しようまっせつ	本質からはずれたささいなこと
13	和衷協同	わちゅうきょうどう	心を同じくして共に力を合わせること
14	危急存亡	ききゅうそんぼう	危険が迫り生きるか死ぬか紙一重の状態
15	教唆扇動	きょうさせんどう	そそのかして人の心をあおりたてる
16	羊質虎皮	ようしつこひ	外見だけで中身が伴わないこと
17	孤軍奮闘	こぐんふんとう	支援者のない中で懸命に努力する
18	英俊豪傑	えいしゅんごうけつ	多くの中で特に優れた人物
19	白砂青松	はくしゃせいしょう	美しい海岸の景色
20	一陽来復	いちようらいふく	悪運が続いたあと幸運に向かうこと
21	泰山北斗	たいざんほくと	大家として仰ぎ尊ばれる権威者

22	比翼連理	ひよくれんり	男女の情愛が深いことのたとえ
23	論功行賞	ろんこうこうしょう	手柄に応じた賞を与えること
24	酒池肉林	しゅちにくりん	ぜいたくの限りを尽くした宴会
25	破邪顕正	はじゃけんしょう	誤った見解をただすこと
26	生生流転	せいせいるてん	万物は常に変化し移り変わる
27	破綻百出	はたんひゃくしゅつ	言動の欠点が次々に出てくること
28	隠忍自重	いんにんじちょう	苦しみなどをじっとこらえる様子
29	大言壮語	たいげんそうご	大げさに言うこと。その言葉
30	斬新奇抜	ざんしんきばつ	発想などが際立って新しい様子
31	快刀乱麻	かいとうらんま	物事を手際よく解決すること
32	先憂後楽	せんゆうこうらく	先に心配事を片付け、後でたのしむこと
33	堅忍不抜	けんにんふばつ	困難に耐え心を動かさないこと
34	要害堅固	ようがいけんご	備えがしっかりしていること
35	汗牛充棟	かんぎゅうじゅうとう	蔵書が非常に多いことのたとえ
36	飛花落葉	ひからくよう	世の中は常に移り変わっていく
37	志操堅固	しそうけんご	主義などを固く守って変えないこと
38	読書百遍	どくしょひゃっぺん	難しい書物も繰り返せば意味がわかる
39	眉目秀麗	びもくしゅうれい	顔だちが美しく整っていること
40	意気衝天	いきしょうてん	元気がよく勢いが盛んなこと
41	軽挙妄動	けいきょもうどう	是非をわきまえず軽はずみに行動する
42	初志貫徹	しょしかんてつ	初めの志を最後まで守り続けること
43	普遍妥当	ふへんだとう	どんな場合にも真理として認められる
44	陶犬瓦鶏	とうけんがけい	外見ばかりで役に立たないこと
45	活殺自在	かっさつじざい	他人を自分の思いのままに扱うこと
46	鶏口牛後	けいこうぎゅうご	大組織の末端より小組織の長となれ
47	円転滑脱	えんてんかつだつ	物事をそつなくとりしきる様子
48	冷汗三斗	れいかんさんと	非常に恐ろしい目にあうこと

頻出ベスト44 部首

頻出漢字だけ覚えたら他の対策を

「部首」は漢字の部首を書く問題。2級の頻出漢字は決まっている。配点も10点と少ないので、頻出リストを覚えたら、他の分野の対策に時間をかけよう。

No.	漢字	部首	部首名
1	軟	車	くるまへん
2	爵	爫	つめかんむり
3	戻	戸	とだれ
4	甚	甘	かん
5	升	十	じゅう
6	耗	耒	すきへん
7	臭	自	みずから
8	賓	貝	かい
9	旋	方	ほうへん
10	且	一	いち
11	衷	衣	ころも
12	囚	囗	くにがまえ
13	煩	火	ひへん
14	妥	女	おんな
15	嗣	口	くち
16	刃	刀	かたな
17	奔	大	だい
18	斉	斉	せい
19	褒	衣	ころも
20	彰	彡	さんづくり
21	寧	宀	うかんむり
22	累	糸	いと
23	薫	艹	くさかんむり
24	缶	缶	ほとぎ
25	戴	戈	ほこづくり
26	斬	斤	おのづくり
27	呉	口	くち
28	磨	石	いし
29	亭	亠	なべぶた
30	虜	虍	とらがしら
31	畝	田	た
32	弔	弓	ゆみ
33	雇	隹	ふるとり
34	亜	二	に
35	献	犬	いぬ
36	吏	口	くち
37	瓶	瓦	かわら
38	甲	田	た
39	再	冂	どうがまえ
40	喪	口	くち
41	致	至	いたる
42	凸	凵	うけばこ
43	豪	豕	ぶた
44	殻	殳	るまた

熟語の構成

ア　同じ意味
イ　反対の意味
ウ　上が下を修飾
エ　下が上の目的語
オ　上が下を打ち消し

ルールを覚えたら簡単
「熟語の構成」は熟語の漢字の関係を答える問題。ウとエの区別が重要。熟語「○×」の場合、「○の×」と読めたらウ、「×を○する」と読めたらエのことが多い。

No.	熟語	答
1	折衷	エ
2	隠顕	イ
3	叙勲	エ
4	罷業	エ
5	争覇	エ
6	殉難	エ
7	贈答	イ
8	忍苦	エ
9	享楽	エ
10	往還	イ
11	不肖	オ
12	点滅	イ
13	毀誉	イ
14	謹呈	ウ
15	衆寡	イ
16	及落	イ
17	広漠	ア
18	不浄	オ
19	顕在	ウ
20	経緯	イ
21	長幼	イ
22	寛厳	イ
23	早晩	イ
24	禍福	イ
25	貴賓	ウ
26	慶弔	イ
27	逓減	ウ
28	媒介	ア
29	酪農	ウ
30	多寡	イ
31	収賄	エ
32	上棟	エ
33	弾劾	ア
34	奔流	ウ
35	叙景	エ
36	需給	イ
37	疾患	ア
38	叙情	エ
39	無窮	オ
40	疎密	イ

本書で合格できる理由

「日本漢字能力検定」（以下、漢字検定）には、出題の傾向や効率的な学習のコツがあります。本書は、できるだけ最短距離で合格するために、効果的に学習できる工夫が施されています。

▼「新出配当漢字」以外も対策できる

漢字検定の対策は広く漢字を覚えることが重要です。

漢字検定は、級があがるごとに出題される漢字が増えます。たとえば、5級の試験で出題対象となる漢字は1026字ですが、4級では更に313字増え、合計1339字となります。

その級で新たに出題対象となる漢字のことを、「新出配当漢字」と呼びます。試験では**出題分野によっては、新出配当漢字以外の字がよく出題される**こともあります。

実際に、下の表のように2級の「書き取り」問題では、2級より下の級で登場した字も多く出題されています。

そのため、受検級の新出配当漢字だけを対策して試験に挑むと、本番の試験では意外と出題されなかった、ということもありえます。

本書は**その級で過去に出題された内容を基にした問題を数多く掲載しています。**新出配当漢字以外の漢字もしっかり押さえておきましょう。

「書き取り」出題回数ランキング（2級）

順位	問題	
1位	憂い	「憂」は3級で新出
2位	仰ぐ	「仰」は4級で新出
3位	戯れる	「戯」は4級で新出
4位	懲りる	「懲」は準2級で新出
5位	惨敗	「惨」は4級、「敗」は7級で新出
6位	擦る	「擦」は3級で新出
7位	挟む	「挟」は準2級で新出
8位	慈しむ	「慈」は3級で新出
9位	憤る	「憤」は準2級で新出
10位	醸す	「醸」は準2級で新出

▼よく出る問題から覚えられる

漢字検定の対策は「頻出度」対応のテキストや問題集で学習するのが効率的です。

なぜなら、各級の試験で出題の対象となる漢字の量は膨大で、すべてを完璧に覚えるのはとてもたいへんだからです。5級でも1026字、2級なら2136字と、出題範囲は広く、時間がいくらあっても足りません。

ところが、出題傾向を分析すると**試験には出題されやすい問題というものがあります。**下の表のように、高頻度で出題されている問題がある一方、過去十数年で1回しか出題されていないものや、1度も出題されたことがないものもあります。それらの出題頻度が低い問題が次の試験で出題される確率は、かなり低いでしょう。

そのため、出題範囲の漢字を五十音順で覚えたり、過去問だけをひたすら解いていったりするのは、効率がよいとはいえません。

本書は、**過去10年分の過去問のなかから、試験によく出題されている問題を中心に収録**しています。次の試験で出題される確率が高い問題を解き、確実に得点につながる対策をしましょう。

直近10年で 出題回数が多い漢字(2級)

問題	出題回数
籠	46
塞	37
頓	34
沃	34
弄	32
斬	32
眉	30
蔑	28
怨	26
綻	26

直近10年で 出題回数が少ない漢字(2級)

問題	出題回数
誰	1
箸	1
喩	1
楷	0
韓	0
謎	0
弥	0
頰	0
畿	0
淫	0

おすすめ学習プラン

本書は、試験直前で対策を始める人、じっくり学習して万全に対策したい人、どちらにもお使いいただけるようにできています。試験本番までのおすすめ学習プラン例を紹介します。

申し込み
試験の
3～1か月前

1～2週間で決める!

短期集中プラン

学習時間目安
2時間／1日

2週間前

●頻出度A・Bを一巡する
・赤チェックシートを使いながらまず解いてみる
・解けなかった問題はチェックをつける
・解けなかった書き問題は、正解をノートに書いて覚える

1週間前

●頻出度A・Bの正解率を高める
・まずは頻出度Aから、チェックをつけた問題の「読む・書く→解く」を繰り返す
・自信をもって解けるようになった問題には○をつける
・頻出度Aの8割が解けるようになったら、頻出度Bのチェックをつけた問題に取り組む

1～2か月で決める!

長期じっくりプラン

学習時間目安
30分／1日

2か月前

●頻出度A・B・Cを一巡する
・赤チェックシートを使いながらまず解いてみる
・解けなかった問題はチェックをつける
・解けなかった書き問題は、正解をノートに書き留める
・学習する総ページ数を学習日数で割り、「毎日6ページやる」などと決めて習慣的に取り組む

1か月前

●頻出度A・Bの正解率を高める
・まずは頻出度Aから、チェックをつけた問題だけを解き直す。書き問題は、ノートに書き留めた正解を繰り返し書いて覚える
・自信をもって解けるようになった問題には○をつける
・頻出度Aの8割が解けるようになったら、頻出度Bのチェックをつけた問題に取り組む

「頻出漢字学習ポスター」をダウンロードし、移動中の隙間時間の学習にも活用しよう

2週間前

●頻出度Cも完璧にする

・頻出度Cでチェックをつけた問題を、繰り返し解く
・模擬試験に挑戦し、苦手だった分野は頻出度Cも重点的に学習する

1週間前

●苦手問題を徹底的につぶす

・頻出度A・Bはほぼ完璧に、頻出度Cは9割ほど解けるようになるまで、学習を繰り返す
・頻出度A～Cの、最初に解けずにチェックをつけた問題は、改めて試験前に再度すべて確認する

『漢検要覧』にも目を通し、字体や部首を間違えて覚えていないか確認をしておくと安心

目標得点

195／200点

学習のポイント

2か月あれば準備期間は充分！ 計画を立て、習慣的に学習を続けていくことが大事。チェックボックスを活用し、頻出度A・B問題はすべて解けるようにしておこう。

3日前

●頻出度Cの要点を押さえる

・解けるようになった問題も含めて、頻出度A・Bのチェックをつけた問題を再確認する
・頻出度Cは、配点が高い書き問題と馴染みがない四字熟語だけでも押さえておく
・模擬試験を解き、得点が低かった苦手分野は頻出度Cまで押さえておくと安心

頻出度A・Bの正解率がまだ8割以下の人は、引き続きそちらも学習しよう

試験当日

●チェックをつけた問題を直前確認

・試験会場までの移動中や会場待機中に、最後まで○がつかなかった問題を確認する

巻頭ページの頻出ベストをチェックするのもおすすめ

目標得点

170／200点

学習のポイント

すべて完璧にしようとせずに、頻出度の高い問題の正解率を高めよう。最初に不正解だった問題は、その後解けるようになってもチェックを消さず、試験直前で再確認しよう。

※ここで紹介しているのは本書を使用した効率的な学習方法の一例ですが、合格を保証するものではありません。

「漢字検定」受検ガイド

「漢字検定」の試験概要を紹介します。解答する際の注意点や、出題分野、配点、検定実施の時期などを確認して、自分なりの対策方法を考えてみましょう。

▼検定会場

全国47都道府県の主要都市。

▼検定実施の時期

年3回（6月・10月・翌年1～2月中の日曜日）

※団体受検、CBT（パソコンによる受検）などの詳細は日本漢字能力検定協会にお問い合わせください。

▼申し込み方法

個人受検では、インターネットで専用サイトにアクセスして申し込む。クレジットカード、コンビニ決済、二次元コード決済で検定料を支払う。

手続き後、検定日の1週間前ごろまでに受検票が送られてきます。検定日の4日前になっても届かない場合は、日本漢字能力検定協会に問い合わせましょう。

合否結果は「検定結果通知」が郵送されるほか、WEBでも公開されます。

▼よくある質問

Q 字体によって形が異なる字はどれが正しいの？

A 「衣」の4画目の折り方など、活字のデザイン差がある漢字があります。漢字検定の解答で手本とすべき字体は、本書の解答でも使用している「教科書体」です。

Q 答えが複数ある問題はどうすればいいの？

A 試験の正答は日本漢字能力検定協会が判断しています。本書の標準解答は、過去の試験で標準解答として発表された字を掲載しています。正答については、『漢検要覧 2～10級対応』や『漢検 過去問題集』で確認しましょう。

Q 試験の正解は何が基準になっているの？

A 「部首」は『漢検要覧 2～10級対応』収録の「部首一覧表と部首別の常用漢字」が基準です。「筆順」の原則は文部省（現 文部科学省）編『筆順指導の手びき』、常用漢字の筆順は『漢検要覧 2～10級対応』収録の「常用漢字の筆順一覧」が基準になっています。

▼各級（準1～5級）の出題内容

※検定に関する情報は、過去の試験を弊社で独自に分析し作成したものです。

	準1級	2級	準2級	3級	4級	5級
主な対象学年（目安）	大学・一般程度	高校卒業 大学・一般程度	高校 在学程度	中学校 卒業程度	中学校 在学程度	小学校6年生 修了程度
漢字の読み	30点	30点	30点	30点	30点	20点
表外読み	10点					
熟語と一字訓	10点					
漢字の書き取り	40点	50点	50点	40点	40点	40点
四字熟語	30点	30点	30点	20点	20点	20点
故事・諺	20点					
対義語・類義語	20点	20点	20点	20点	20点	20点
共通の漢字	10点					
誤字訂正	10点	10点	10点	10点	10点	
文章題	20点					
送り仮名		10点	10点	10点	10点	10点
同音・同訓異字		20点	20点	30点	30点	
部首・部首名		10点	10点	10点	10点	10点
熟語の構成		20点	20点	20点	20点	20点
漢字識別				10点	10点	
音と訓						20点
同じ読みの漢字						20点
熟語作り						10点
画数						10点
合格基準	80%程度	80%程度	70%程度	70%程度	70%程度	70%程度
満点	200点	200点	200点	200点	200点	200点
検定時間	60分	60分	60分	60分	60分	60分

検定試験の問い合わせ先

公益財団法人 日本漢字能力検定協会

●フリーダイヤル 0120-509-315（土日・祝日・お盆・年末年始を除く 9:00 ～ 17:00）
　※検定日とその前日にあたる土日は窓口を開設
　※検定日は 9:00 ～ 18:00

●所在地
　〒605-0074 京都市東山区祇園町南側551番地　TEL 075-757-8600　FAX 075-532-1110

●ホームページ https://www.kanken.or.jp/

※実施要項、申し込み方法等は変わることがあります。詳細は協会ホームページなどでご確認ください。

※出題分野・内容（出題形式、問題数、配点）等は変わることがあります。実際に出題された内容については『漢検 過去問題集』（公益財団法人 日本漢字能力検定協会発行）を参照してください。

目次

第1章 頻出度A かならず押さえる！最頻出問題2441

第2章 頻出度B 合否の分かれ目！重要問題1617

第3章 頻出度C 合格を確実にする！ダメ押し問題664

かならず押さえる！

最頻出問題 2441

第1章

読み—①

※次の——線の読みをひらがなで記せ。

□ 1 **暁天**が白む頃に目覚めた。
□ 2 **格子**窓の古い民家が今も残る。
□ 3 担当者の失策を**難詰**する。
□ 4 ガス管を**敷設**する工事が始まった。
□ 5 交響曲の**荘重**な調べに感動する。
□ 6 朝の**澄明**な空気に心が洗われる。
□ 7 **閑雅**の風情が漂う日本庭園だ。
□ 8 家具の**頒布**会に加入している。
□ 9 新居の**棟上**げ式を執り行う。
□ 10 知人に土地を**譲渡**する。
□ 11 人を見下した**傲慢**な態度に怒った。
□ 12 対戦相手の過去の**棋譜**を研究する。

□ 13 景気が**漸次**回復しつつある。
□ 14 世界平和を**渇望**する。
□ 15 裁判官が**弾劾**を受ける。
□ 16 著作を恩師に**献本**する。
□ 17 儀式を**粛々**と執り行う。
□ 18 抗議の意思を示すため**断食**する。
□ 19 花嫁衣装を**納戸**に保管する。
□ 20 混乱した事態の**収拾**を図った。
□ 21 初登頂の**壮挙**をたたえる。
□ 22 うっかりして**膝頭**を壁にぶつける。
□ 23 情け**容赦**ない批判を浴びせられる。
□ 24 毎年お盆に**曽祖父**の墓参りをする。

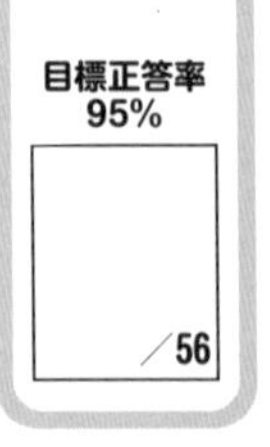

標準解答

1	ぎょうてん	13	ぜんじ
2	こうし	14	かつぼう
3	なんきつ	15	だんがい
4	ふせつ	16	けんぽん
5	そうちょう	17	しゅくしゅく
6	ちょうめい	18	だんじき
7	かんが	19	なんど
8	はんぷ	20	しゅうしゅう
9	むねあ	21	そうきょ
10	じょうと	22	ひざがしら
11	ごうまん	23	ようしゃ
12	きふ	24	そうそふ

□25 ご高配を賜りお礼申し上げます。
□26 ペットが飼い主に虐げられる。
□27 潔く誤りを認める。
□28 成否は彼の双肩にかかっている。
□29 菜種を圧搾機に掛けて油を採る。
□30 御堂は厳かな空気に包まれている。
□31 代表の名を辱めない健闘ぶりだ。
□32 踏切事故に因り電車が遅れる。
□33 数々の問題が複雑に絡みあう。
□34 一芸に秀でた学生を募る。
□35 重い荷物を担いで旅に出る。
□36 学業の傍ら家事を手伝う。
□37 麗しい情景が眼下に広がる。
□38 悲願が晴れて成就した。
□39 満潮時に豪快な渦潮が見られる。
□40 彼にまんまと謀られた。

□41 大臣の失言が物議を醸した。
□42 激しい運動の後で水を欲した。
□43 生産が追いつかず在庫が払底した。
□44 泥縄式の施策で事態が悪化した。
□45 狭量な考えを改めたい。
□46 ツバメの営巣を観察する。
□47 二つの町を併せて市をつくる。
□48 ついに堪忍袋の緒が切れた。
□49 群青色の夜空に星が輝く。
□50 過ぎゆく季節に寂しさを感じる。
□51 身勝手な言動に甚だ困っている。
□52 目が合ったので軽く会釈した。
□53 巧妙な話術で人を陥れる。
□54 大気汚染が草木の生育を阻む。
□55 神前で恭しく頭を下げる。
□56 貯蓄の一部を研究費に充てる。

25 たまわ
26 しいた
27 いさぎよ
28 そうけん
29 あっさく
30 おごそ
31 はずかし
32 よ
33 から
34 ひい
35 かつ
36 かたわ
37 うるわ
38 じょうじゅ
39 うずしお
40 はか

41 かも
42 ほっ
43 ふってい
44 どろなわ
45 きょうりょう
46 えいそう
47 あわ
48 かんにん
49 ぐんじょう
50 さび
51 はなは
52 えしゃく
53 おとしい
54 はば
55 うやうや
56 あ

かならず押さえる！

頻出度 A

読み―②

目標正答率 95%

／56

※次の――線の読みをひらがなで記せ。

□1 外出時は必ず**施錠**する。
□2 失敗の原因を**詰問**された。
□3 うわさの**渦中**にある人物だ。
□4 長年**肩肘**を張って生きてきた。
□5 さわやかな晴天の日に**布団**を干す。
□6 会議の**抄録**を読み返す。
□7 その件には金が**絡**んでいるようだ。
□8 縁起を**担**いで大安に挙式した。
□9 見事な**漆塗**りの器だ。
□10 隣国の大王に貢ぎ物を**奉**る。
□11 女性のファッションの**変遷**をたどる。
□12 身勝手な振るまいに**憤**りを感じる。
□13 殿下は国を**統**べる力量の持ち主だ。
□14 事件が**如実**に描かれた小説だ。
□15 工場は二十四時間**稼働**している。
□16 女神像に**崇高**な美しさを見た。
□17 大企業の**傘下**に入る。
□18 **会得**した技術を後進に伝える。
□19 選挙運動で全国を**行脚**する。
□20 口を**酸**っぱくして言い聞かせる。
□21 たび重なる反論に**嫌悪**感を抱く。
□22 文献を**渉猟**して解明に努める。
□23 汚職事件の全容を**糾明**する。
□24 **払暁**まで仕事を続ける。

標準解答

1 せじょう
2 きつもん
3 かちゅう
4 かたひじ
5 ふとん
6 しょうろく
7 から
8 かつ
9 うるしぬ
10 たてまつ
11 へんせん
12 いきどお
13 す
14 にょじつ
15 かどう
16 すうこう
17 さんか
18 えとく
19 あんぎゃ
20 す
21 けんお
22 しょうりょう
23 きゅうめい
24 ふつぎょう

□ 25 直径三センチの**病巣**を摘出した。
□ 26 **均斉**のとれた美しい体形だ。
□ 27 転職して十年の**星霜**を経る。
□ 28 肺を**患**って入院する。
□ 29 少しでも助けになれば**幸甚**だ。
□ 30 風邪で頭痛と**悪寒**がする。
□ 31 **狭小**な土地の有効活用を図る。
□ 32 子供にご**褒美**を与える。
□ 33 運動神経はよいがルールに**疎**い。
□ 34 体が弱い息子の将来を**憂**う。
□ 35 **古拙**な作りの民芸品だ。
□ 36 生まれた赤ん坊に**産湯**を使わせる。
□ 37 交通費と宿泊費を**併**せて支給する。
□ 38 友人に**唆**されて悪事をはたらく。
□ 39 **芳**しい花の香りが漂う。
□ 40 **脅**されて金銭を巻き上げられた。
□ 41 強引な性格で人に**疎**まれる。
□ 42 相手の力を**侮**って油断する。
□ 43 **逐次**意見を述べてください。
□ 44 草花の**種苗**を買い求める。
□ 45 上司から進行役を**仰**せつかった。
□ 46 事の理非を丁寧に**諭**す。
□ 47 慢性的な**疾病**を抱えている。
□ 48 満足いく**釣果**にほくそ笑む。
□ 49 寒さが緩み桜の花が**綻**び始める。
□ 50 悪ふざけが過ぎて**興**ざめした。
□ 51 両親の**薫陶**を受け立派に成人した。
□ 52 綿から糸を**紡**ぎ出す。
□ 53 楽しい雰囲気を**醸**し出している。
□ 54 遭難者の救出は困難を**窮**めた。
□ 55 消火ホースの**筒先**を火元に向ける。
□ 56 道が**碁盤**の目のように交差する。

25 びょうそう
26 きんせい
27 せいそう
28 わずら
29 こうじん
30 おかん
31 きょうしょう
32 ほうび
33 うと
34 うれ
35 こせつ
36 うぶゆ
37 あわ
38 そそのか
39 かんば
40 おど
41 うと
42 あなど
43 ちくじ
44 しゅびょう
45 おお
46 さと
47 しっぺい
48 ちょうか
49 ほころ
50 きょう
51 くんとう
52 つむ
53 かも
54 きわ
55 つつさき
56 ごばん

かならず押さえる!
頻出度
A
読み――③

※次の――線の読みをひらがなで記せ。

□ 1 **因循**な態度をたしなめる。
□ 2 武道で健全な精神を**培**う。
□ 3 **横柄**な口のきき方をつつしむ。
□ 4 長年の**懸案**がようやく片付いた。
□ 5 武道の奥義を**窮**める。
□ 6 **風霜**に耐えて新芽が出てきた。
□ 7 世界でも有数の**湖沼**地帯だ。
□ 8 武将として名高い**傑物**だ。
□ 9 **法被**姿の男たちがみこしを担ぐ。
□ 10 偽証**教唆**の容疑で逮捕された。
□ 11 見事な**手綱**さばきで馬を操る。
□ 12 **繁閑**の差が激しい観光地だ。
□ 13 契約書に署名して**押印**する。
□ 14 賠償を求める**訴訟**を起こす。
□ 15 態度を**翻**して相手方についた。
□ 16 明日**若**しくは明後日に出社する。
□ 17 子犬が飼い主に**懐**く。
□ 18 **短冊**に願い事をしたためる。
□ 19 住民同士で互いに**扶助**し合う。
□ 20 **沖天**の勢いで試合にのぞむ。
□ 21 **衆寡**敵せずは明らかだ。
□ 22 暴風雨が行く手を**阻**んだ。
□ 23 **寛厳**よろしきを得た教育だ。
□ 24 家族に**慈**しまれて育った。

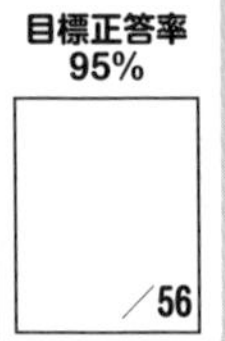

標準解答

1 いんじゅん
2 つちか
3 おうへい
4 けんあん
5 きわ
6 ふうそう
7 こしょう
8 けつぶつ
9 はっぴ
10 きょうさ
11 たづな
12 はんかん
13 おういん
14 そしょう
15 ひるがえ
16 も
17 なつ
18 たんざく
19 ふじょ
20 ちゅうてん
21 しゅうか
22 はば
23 かんげん
24 いつく

□ 25 **清澄**な空気を胸いっぱい吸う。
□ 26 先達に処世の教えを**請**う。
□ 27 運転資金が**枯渇**して倒産した。
□ 28 道幅の**広狭**で交通量が変わる。
□ 29 **矯**めるなら若木のうち。
□ 30 **靴墨**を塗ったブーツを乾かす。
□ 31 **渦紋**の模様のハンカチを買う。
□ 32 文壇に**旋風**を巻き起こす。
□ 33 折れた骨を**接**ぎに医院に通った。
□ 34 時代の**奔流**に巻き込まれる。
□ 35 ハトは**帰巣**本能が強い。
□ 36 **昔日**の面影を残す街並みだ。
□ 37 妹は優しくて**繊細**な性格だ。
□ 38 よくないうわさが**流布**している。
□ 39 **汚泥**の処分場を建設する。
□ 40 **際**どい描写が議論を巻き起こした。

□ 41 工事が予定通り**進捗**する。
□ 42 戦前は**筆禍**事件が多発した。
□ 43 神社で家内安全を**誓願**する。
□ 44 ピアノで美しい名曲を**奏**でる。
□ 45 **秀逸**な作品に目を奪われる。
□ 46 **年端**もいかない子供と旅に出る。
□ 47 端正な**面構**えの役者だ。
□ 48 **荘厳**な儀式が執り行われた。
□ 49 **悠揚**迫らぬ態度で事に当たる。
□ 50 大型プロジェクトに**参画**する。
□ 51 主人公の行動に**伏線**を敷く。
□ 52 気まぐれな運命に**弄**ばれる。
□ 53 華麗な演出が舞台に**彩**りを添える。
□ 54 批判の**矢面**に立たされる。
□ 55 旧街道の**名刹**を訪ね歩く。
□ 56 新規事業で生じた損失を**補填**する。

25 せいちょう
26 こ
27 こかつ
28 こうきょう
29 た
30 くつずみ
31 かもん
32 せんぷう
33 つ
34 ほんりゅう
35 きそう
36 せきじつ
37 せんさい
38 るふ
39 おでい
40 きわ
41 しんちょく
42 ひっか
43 せいがん
44 かな
45 しゅういつ
46 としは
47 つらがま
48 そうごん
49 ゆうよう
50 さんかく
51 ふくせん
52 もてあそ
53 いろど
54 やおもて
55 めいさつ
56 ほてん

かならず押さえる！

頻出度 A

読み ― ④

※次の――線の読みをひらがなで記せ。

□ 1 全ての内容を一瞬で把握する。
□ 2 さまざまな育苗法が開発された。
□ 3 医療器具を煮沸消毒した。
□ 4 会議に諮って検討する。
□ 5 戯れに言ったことを真に受ける。
□ 6 日々の読書が人生の糧となる。
□ 7 周囲の忠告を歯牙にもかけない。
□ 8 人が羨むほどの体格に恵まれる。
□ 9 頓服薬で急な痛みを抑える。
□ 10 力量で劣る相手を蔑む。
□ 11 長編小説を梗概にまとめる。
□ 12 豊かな暮らしに憧れを抱く。
□ 13 他人の粗相を嘲る。
□ 14 懲りずに同じ過ちを繰り返す。
□ 15 重要書類の散逸を防ぐ。
□ 16 内乱がようやく鎮まった。
□ 17 事件は闇に葬られた。
□ 18 弟はまだ頑是ない子供だ。
□ 19 建坪の大きい家で快適に暮らす。
□ 20 わずかな差に拘泥する。
□ 21 席順は寄付金の多寡に関係ない。
□ 22 棟上げは吉日にしよう。
□ 23 不況で収入が逓減している。
□ 24 研究が認められ褒賞を受けた。

目標正答率 95%

／56

標準解答

1 すべ
2 いくびょう
3 しゃふつ
4 はか
5 たわむ
6 かて
7 しが
8 うらや
9 とんぷく
10 さげす
11 こうがい
12 あこが
13 あざけ
14 あやま
15 さんいつ
16 しず
17 ほうむ
18 がんぜ
19 たてつぼ
20 こうでい
21 たか
22 むねあ
23 ていげん
24 ほうしょう

□ 25 恩師の死を心から**悼**む。
□ 26 所得税の配偶者**控除**の対象になる。
□ 27 予算の**枠**を決める。
□ 28 政敵の陰謀が**露顕**した。
□ 29 処分の対象者への**聴聞**が行われた。
□ 30 実家は**製靴**業を営んでいる。
□ 31 唐突感が**否**めない表現だ。
□ 32 何を言っても右から左へ**筒抜**けだ。
□ 33 歌会始で和歌を**詠**む。
□ 34 未来の出来事など知る**由**もない。
□ 35 **徹宵**の復旧作業が続いている。
□ 36 古典芸能の**秘奥**を窮めた人物だ。
□ 37 庭園で**観桜**を楽しんだ。
□ 38 まさに悪の**権化**のような男だ。
□ 39 砂糖や塩は長期保存が**利**く。
□ 40 **長患**いしていた病から解放された。
□ 41 小冊子の**頒価**は従来どおりだ。
□ 42 園遊会で天皇陛下に**拝謁**した。
□ 43 後輪が**側溝**に落ちて立ち往生する。
□ 44 請負工事を**宰領**する。
□ 45 父は古典文学に**通暁**している。
□ 46 耳は**平衡**感覚をつかさどっている。
□ 47 政党間の激しい**角逐**が展開される。
□ 48 大学を首席で卒業した**俊傑**だ。
□ 49 **醜聞**が絶えない芸能人だ。
□ 50 祖父から仕舞や**謡**を教わる。
□ 51 金策に**狂奔**している。
□ 52 新緑の**薫風**を体全体で浴びる。
□ 53 豪快な**殊勲**の一打を放つ。
□ 54 今夜、**拙宅**にて会合を開きます。
□ 55 **滋味**豊かな料理が食卓に並ぶ。
□ 56 優勝した力士に**賜杯**が渡された。

25 いた
26 こうじょ
27 わく
28 ろけん
29 ちょうもん
30 せいか
31 いな
32 つつぬ
33 よ
34 よし
35 てっしょう
36 ひおう
37 かんおう
38 ごんげ
39 き
40 ながわずら
41 はんか
42 はいえつ
43 そっこう
44 さいりょう
45 つうぎょう
46 へいこう
47 かくちく
48 しゅんけつ
49 しゅうぶん
50 うたい
51 きょうほん
52 くんぷう
53 しゅくん
54 せったく
55 じみ
56 しはい

かならず押さえる!
頻出度 **A**

読み—⑤

※次の——線の読みをひらがなで記せ。

□ 1 失敗の責任を部下に**転嫁**する。
□ 2 協議の結果、**折衷**案が採用された。
□ 3 故人を**悼**んで黙とうした。
□ 4 **尼僧**となって仏門に帰依する。
□ 5 発展途上国へ円**借款**を行う。
□ 6 **早暁**のうちに宿を出立する。
□ 7 自らの**境涯**を嘆かず精進する。
□ 8 **漠**とした思いを日記に書き留めた。
□ 9 金額の**多寡**は問わない。
□ 10 文中の語の**狭義**を捉える。
□ 11 部下に**全幅**の信頼を置いている。
□ 12 日よけのために**植栽**を施す。
□ 13 改革を**漸進**的に実行する。
□ 14 ほのかな**余薫**を残して立ち去った。
□ 15 **泥炭**層から遺跡が発掘された。
□ 16 涼しげな**開襟**シャツを愛用する。
□ 17 入り口の**門扉**が閉まっている。
□ 18 弁護側の**控訴**を棄却した。
□ 19 **釣**り具を携えて海に出かける。
□ 20 料理の**見栄**えをよくする。
□ 21 夜がだんだんと**更**けていく。
□ 22 畑に**畝**を作って苗を植える。
□ 23 **私淑**する画家にお会いできた。
□ 24 幕府に絹織物の**貢**ぎ物をする。

目標正答率 95%
／56

標準解答

1 てんか
2 せっちゅう
3 いた
4 にそう
5 しゃっかん
6 そうぎょう
7 きょうがい
8 ばく
9 たか
10 きょうぎ
11 ぜんぷく
12 しょくさい
13 ぜんしん
14 よくん
15 でいたん
16 かいきん
17 もんぴ
18 こうそ
19 つ
20 みば
21 ふ
22 うね
23 ししゅく
24 みつ

□ 25 戸籍**謄本**を請求する。
□ 26 **質朴**で古風なところがある男だ。
□ 27 公務員の**俸給**を引き下げる。
□ 28 **紡織**機を導入し生産量を増やす。
□ 29 膨大な調査結果を**概括**する。
□ 30 長く世の**辛酸**をなめてきた。
□ 31 地鎮祭でお**神酒**を供える。
□ 32 前例に**倣**って処置した。
□ 33 雇用主が労働者を**搾取**する。
□ 34 知人に下宿先を**周旋**してもらう。
□ 35 友人の家に**居候**する。
□ 36 **有袋類**の生態を研究する。
□ 37 たび重なる仕打ちに**業**を煮やす。
□ 38 **禅譲**により国王が退いた。
□ 39 現地では**油井**の掘削が盛んだ。
□ 40 **強肩**を誇る外野手をそろえる。
□ 41 富士の**山麓**で湧いている水を飲む。
□ 42 パソコン雑誌を**購読**する。
□ 43 端正な**挙措**に心ひかれる。
□ 44 昔の日本では**摂政**が置かれた。
□ 45 魅力的な**挿話**で聴衆を引きつける。
□ 46 部品の**摩耗**をくまなく調べる。
□ 47 死に別れた妻を**思慕**する。
□ 48 カニやエビは**甲殻**類に属する。
□ 49 天から**賦与**された才能だ。
□ 50 **寸暇**を惜しんで勉強する。
□ 51 自宅に**籠城**して執筆に専念した。
□ 52 産卵期にサケが川を**遡上**する。
□ 53 断定するには時期**尚早**だ。
□ 54 **汎用**性がある商品が売れている。
□ 55 事故の犠牲者を**弔**う。
□ 56 緊張の**面持**ちで順番を待つ。

25 とうほん
26 しつぼく
27 ほうきゅう
28 ぼうしょく
29 がいかつ
30 しんさん
31 みき
32 なら
33 さくしゅ
34 しゅうせん
35 いそうろう
36 ゆうたいるい
37 ごう
38 ぜんじょう
39 ゆせい
40 きょうけん
41 さんろく
42 こうどく
43 きょそ
44 せっしょう
45 そうわ
46 まもう
47 しぼ
48 こうかく
49 ふよ
50 すんか
51 ろうじょう
52 そじょう
53 しょうそう
54 はんよう
55 とむら
56 おもも

読み―⑥

※次の――線の読みをひらがなで記せ。

□1 要人の失言を鋭く**糾弾**する。
□2 綿と絹を**混紡**した服を着る。
□3 姉に**倣**って早起きする。
□4 密売人の**巣窟**が一斉検挙された。
□5 **勲功**により階級が上がった。
□6 何者かに現金を**詐取**される。
□7 二世の**契**りを結ぶ。
□8 持論と異にする意見を**一蹴**する。
□9 天皇陛下より**勅命**が発せられた。
□10 **肘枕**をして新書を読んだ。
□11 将棋の腕前を**競**い合う。
□12 代金支払いの**督促**状が届いた。
□13 秋の**兆**しが感じられる。
□14 緑**滴**る庭園を散策する。
□15 度胸の**据**わった若者だ。
□16 一見すると**凡庸**な人物だ。
□17 **好事家**だった父の遺品を整理する。
□18 社長の**更迭**で経営方針が変わる。
□19 **勾配**が急な下り坂で速度を落とす。
□20 交渉の決裂が**旦夕**に迫る。
□21 **霜害**は作物に深刻な被害を与える。
□22 眼光**紙背**に徹する。
□23 昔ながらの制度が**形骸**化している。
□24 過失による事故の**蓋然**性が高い。

目標正答率 95%

／56

標準解答

1 きゅうだん
2 こんぼう
3 なら
4 そうくつ
5 くんこう
6 さしゅ
7 ちぎ
8 いっしゅう
9 ちょくめい
10 ひじまくら
11 きそ
12 とくそく
13 きざ
14 したた
15 す
16 ぼんよう
17 こうずか
18 こうてつ
19 こうばい
20 たんせき
21 そうがい
22 しはい
23 けいがい
24 がいぜん

25 春が訪れて花の**匂**いが強くなる。
26 額の汗を手の甲で**拭**う。
27 **傲然**として相手を追い払う。
28 被告人に**絞首**刑が言い渡される。
29 **広汎**な分野で突出した業績を残す。
30 **葛餅**に、きなこをまぶして食べる。
31 **麓**から頂上まで長い道のりだ。
32 自分自身を**偽**ってはならない。
33 十円玉の表面に**緑青**が発生する。
34 表情が**愁**いを帯びている。
35 契約を期日通りに**履行**する。
36 議員の**罷免**を要求する。
37 後日お伺いする**旨**お伝えください。
38 ボンベに二酸化炭素を**充塡**する。
39 中世絵画の中の**白眉**とされる。
40 予算が足らず設備の購入を**諦**めた。
41 店の売り上げが**漸増**する。
42 争いのない世界を**渇望**する。
43 靴を**磨**いてから出勤する。
44 役所に戸籍**抄本**を請求する。
45 平安時代に**建立**された寺を訪れる。
46 彼の態度は腹に**据**えかねる。
47 彼の評判を小耳に**挟**んだ。
48 **拾得**物を交番に届ける。
49 事業繁栄の**礎**を築いた人物だ。
50 せこい態度に**軽侮**の念を抱く。
51 **従容**として敵地に赴く。
52 お礼に**一献**差し上げる。
53 **愛猫**の寝姿を写生する。
54 クラスごとに**適宜**実施する。
55 **壮図**半ばで挫折した。
56 社会の**安寧**を乱す事件だ。

25 にお
26 ぬぐ
27 ごうぜん
28 こうしゅ
29 こうはん
30 くずもち
31 ふもと
32 いつわ
33 ろくしょう
34 うれ
35 りこう
36 ひめん
37 むね
38 じゅうてん
39 はくび
40 あきら
41 ぜんぞう
42 かつぼう
43 みが
44 しょうほん
45 こんりゅう
46 す
47 はさ
48 しゅうとく
49 いしずえ
50 けいぶ
51 しょうよう
52 いっこん
53 あいびょう
54 てきぎ
55 そうと
56 あんねい

かならず押さえる！

頻出度

A

読み――⑦

※次の――線の読みをひらがなで記せ。

□ 1 収穫量が年々**逓増**する。

□ 2 党の**綱領**を発表する。

□ 3 社則では、社内恋愛は**御法度**だ。

□ 4 **閑却**を許さない事態だ。

□ 5 **装**いを新たにして開店する。

□ 6 朗々とした**詩吟**が聞こえてくる。

□ 7 **頻出**する試験問題をまとめる。

□ 8 **富裕**な家庭で不自由なく育つ。

□ 9 独学で写真の腕を**磨**いた。

□ 10 劣勢だがせめて**一矢**報いたい。

□ 11 古い**廃屋**を取り壊す。

□ 12 見物客が**人垣**を作っている。

□ 13 **枢要**な国家機関が立ち並ぶ。

□ 14 **憎悪**に満ちた目を向ける。

□ 15 両者の実力には**雲泥**の差がある。

□ 16 お祝いの席では**忌**み言葉を避ける。

□ 17 友人に秘密を**暴**かれた。

□ 18 有田焼の**窯元**を訪ねる。

□ 19 夜空に星が**瞬**いている。

□ 20 **端数**を切り上げて勘定する。

□ 21 上司に**媒酌**を依頼する。

□ 22 恩師の言葉が心の**琴線**に触れる。

□ 23 **施主**の要望で設計図を変更した。

□ 24 **迎賓館**で外国の大統領を接待する。

標準解答

1 ていぞう
2 こうりょう
3 ごはっと
4 かんきゃく
5 よそお
6 しぎん
7 ひんしゅつ
8 ふゆう
9 みが
10 いっし
11 はいおく
12 ひとがき
13 すうよう
14 ぞうお
15 うんでい
16 い
17 あば
18 かまもと
19 まただ
20 はすう
21 ばいしゃく
22 きんせん
23 せしゅ
24 げいひんかん

目標正答率 95%

／56

□25 練習前の道場は**粛然**としている。
□26 **時宜**にかなった判断だ。
□27 彼はまれに見る**俊才**だ。
□28 金の**亡者**に成り下がる。
□29 規則に背き**諭旨**免職処分になる。
□30 政治家が地方へ**遊説**に出た。
□31 この公園は県が**管轄**している。
□32 夕日を浴びた山の姿が**神々**しい。
□33 税収が増えて財政が**潤**った。
□34 選挙で悲願の政権**奪還**を果たした。
□35 官邸で総理大臣に**謁見**する。
□36 家族の喜びは想像に**難**くない。
□37 優秀な学生に奨学金が**貸与**された。
□38 古寺で**乾漆**像の仏が見つかった。
□39 猛省し**怠惰**な生活を改める。
□40 大臣が**市井**の人の声を聴く。

□41 のどかな田園風景が**郷愁**を誘う。
□42 何となく**物憂**い気分だ。
□43 ふぐの**卵巣**には毒がある。
□44 **偏狭**な考えに固執する。
□45 **土壇場**で逆転し優勝を勝ち取った。
□46 **享楽**的な生活を送っている。
□47 **手際**よく荷物をまとめる。
□48 紛争が起きた国の大使を**召還**する。
□49 顔を激しく**殴打**された。
□50 **渓谷**沿いの紅葉が鮮やかだ。
□51 雲ひとつない**紺青**の空だ。
□52 資格を得た**暁**には独立したい。
□53 寺の**庫裏**で食事をあつらえる。
□54 恩師の**最期**に立ち会った。
□55 **血眼**になって宝を探した。
□56 過去最大の**災厄**に見舞われた。

25 しゅくぜん
26 じぎ
27 しゅんさい
28 もうじゃ
29 ゆし
30 ゆうぜい
31 かんかつ
32 こうごう
33 うるお
34 だっかん
35 えっけん
36 かた
37 たいよ
38 かんしつ
39 たいだ
40 しせい

41 きょうしゅう
42 ものう
43 らんそう
44 へんきょう
45 どたんば
46 きょうらく
47 てぎわ
48 しょうかん
49 おうだ
50 けいこく
51 こんじょう
52 あかつき
53 くり
54 さいご
55 ちまなこ
56 さいやく

かならず押さえる！

頻出度

A

読み ⑧

※次の——線の読みをひらがなで記せ。

□ 1 のんびりと物見**遊山**に出かけた。
□ 2 国が**直轄**する事業に関わった。
□ 3 時代の**好尚**に合わせた作品だ。
□ 4 公金を**拐帯**して指名手配された。
□ 5 財界でひときわ**傑出**した人物だ。
□ 6 旅先で**懇**ろなもてなしを受けた。
□ 7 **戴冠**式に向けて作曲を依頼された。
□ 8 ガラスの花瓶に一輪**挿**す。
□ 9 心の**内奥**に訴える作品に感動する。
□ 10 **定石**通りに事が進む。
□ 11 **純朴**で親切な人ばかりだった。
□ 12 彼のコレクションは**逸品**ぞろいだ。
□ 13 来年にも**普請**する予定だ。
□ 14 師の助言は**中庸**を得ている。
□ 15 農作業の道具を**納屋**にしまう。
□ 16 定年後も**嘱託**職員として働く。
□ 17 逆転勝利で**初陣**を飾る。
□ 18 才能あふれる同期の出世を**妬**んだ。
□ 19 **比肩**する者がいない秀才だ。
□ 20 創業期以来の**宿弊**を一掃する。
□ 21 正面に**豪壮**な寺院が見える。
□ 22 部下の失態に苦言を**呈**する。
□ 23 熱心な信者が**殉教**した。
□ 24 事務処理がずさんで**疎漏**が目立つ。

目標正答率 95%

／56

標準解答

1 ゆさん
2 ちょっかつ
3 こうしょう
4 かいたい
5 けっしゅつ
6 ねんご
7 たいかん
8 さ
9 ないおう
10 じょうせき
11 じゅんぼく
12 いっぴん
13 ふしん
14 ちゅうよう
15 なや
16 しょくたく
17 ういじん
18 ねた
19 ひけん
20 しゅくへい
21 ごうそう
22 てい
23 じゅんきょう
24 そろう

□ 25 考え方が**偏**っている。
□ 26 事態が**紛糾**の度を深める。
□ 27 **常夏**の島で暮らすのが夢だ。
□ 28 流れてくる曲を**採譜**する。
□ 29 事態の収拾に向けて**奔走**した。
□ 30 慌ててその場をとり**繕**った。
□ 31 疲労がたまり作業が**滞**る。
□ 32 辞書の**凡例**に目を通す。
□ 33 公共施設の機能を**拡充**する。
□ 34 **真摯**な対応に、好感が持てる。
□ 35 **胸襟**を開いて諸問題を議論する。
□ 36 政界再編への**布石**を打った。
□ 37 **人倫**にもとる非道な犯行だ。
□ 38 孫の誕生に備えて**産着**を用意した。
□ 39 学長は**才媛**として知られた人だ。
□ 40 船上から大海原を**眺望**する。

□ 41 小さな不始末から組織が**瓦解**した。
□ 42 生命保険の告知書に**既往症**を書く。
□ 43 **煩悩**を消し去ることは難しい。
□ 44 **荒漠**とした原野にたたずむ。
□ 45 容疑者を**贈賄**の罪で起訴した。
□ 46 政権の命運を**賭**けて選挙に臨む。
□ 47 定年退職しようやく**閑暇**を得た。
□ 48 **痩身**にむち打って懸命に働いた。
□ 49 **恣意**的な法律の解釈を許さない。
□ 50 魚は人間と同じ**脊椎**動物の一種だ。
□ 51 現場は見るも**無惨**なありさまだ。
□ 52 **親睦**を深めるため食事会を催す。
□ 53 犯人の自宅から証拠品を**押収**する。
□ 54 恩師の**訃報**に接し、がく然とした。
□ 55 名誉**毀損**で出版社を訴える。
□ 56 有力選手を**擁**するチームに勝った。

25 かたよ
26 ふんきゅう
27 とこなつ
28 さいふ
29 ほんそう
30 つくろ
31 とどこお
32 はんれい
33 かくじゅう
34 しんし
35 きょうきん
36 ふせき
37 じんりん
38 うぶぎ
39 さいえん
40 ちょうぼう
41 がかい
42 きおうしょう
43 ぼんのう
44 こうばく
45 ぞうわい
46 か
47 かんか
48 そうしん
49 しい
50 せきつい
51 むざん
52 しんぼく
53 おうしゅう
54 ふほう
55 きそん
56 よう

読み⑧ 504問
書き取り 504問
四字熟語 224問
送りがな 168問
誤字訂正 280問
対義語・類義語 192問
同音・同訓異字 224問
部首 168問
熟語の構成 177問

かならず押さえる!
頻出度 A

読み ⑨

※ 次の――線の読みをひらがなで記せ。

□ 1 総力をあげて遭難者を**捜索**する。
□ 2 **唯美**主義の文学や絵画を学ぶ。
□ 3 担当者が事の次第を**詳述**する。
□ 4 **灯籠**を川に流して故人をしのぶ。
□ 5 ついに祖国統一の**覇業**を遂げた。
□ 6 当初の目的に**遡**って計画を見直す。
□ 7 **栄**えある新人賞を受賞した。
□ 8 話の途中で口を**挟**むな。
□ 9 専門書を熟読して文意を**把捉**する。
□ 10 堅固な**城塞**で敵兵を寄せ付けない。
□ 11 この机は**据**わりが悪い。
□ 12 列車の空席が残り**僅**かとなった。
□ 13 猟師が散弾銃に弾丸を**装塡**する。
□ 14 毒ヘビが**鎌首**をもたげている。
□ 15 **妖**しい雰囲気を漂わせている。
□ 16 川が増水して**橋桁**が押し流された。
□ 17 子供は半額、**但**し二歳以上に限る。
□ 18 住民からの寄付で費用を**賄**う。
□ 19 **卑**しい言葉づかいを嫌う。
□ 20 **廃**れた商店街の再興を図る。
□ 21 西の空に**宵**の明星が輝いている。
□ 22 副会長を次期会長に**薦**める。
□ 23 人里離れた**仙境**で暮らす。
□ 24 **勅願**により寺が建立される。

標準解答

1 そうさく
2 ゆいび
3 しょうじゅつ
4 とうろう
5 はぎょう
6 さかのぼ
7 は
8 はさ
9 はそく
10 じょうさい
11 す
12 わず
13 そうてん
14 かまくび
15 あや
16 はしげた
17 ただ
18 まかな
19 いや
20 すた
21 よい
22 すす
23 せんきょう
24 ちょくがん

□ 25 **肥沃**な土地が豊かな作物を育む。
□ 26 **成仏**を願って供養塔を建てる。
□ 27 塩と砂糖で味を**調**える。
□ 28 冥福を祈って線香を**手向**ける。
□ 29 決意が固く**翻意**させるのは難しい。
□ 30 祝宴で父と**酌**み交わす。
□ 31 ネコが毛を逆立てて**威嚇**する。
□ 32 国の**枢軸**で政策を立案する。
□ 33 **緻密**な分析をして本質を探り出す。
□ 34 経済の再建は**焦眉**の急である。
□ 35 **藍染**めの布で浴衣を仕立てる。
□ 36 応急手当によって傷口を**塞**ぐ。
□ 37 犯した過ちの許しを**乞**う。
□ 38 ごまを**煎**って香りを引き立てる。
□ 39 今朝は**殊**のほか、寒さがこたえる。
□ 40 山の**裾野**にも雪が積もり始めた。
□ 41 **凄惨**な事故現場を目撃する。
□ 42 達人と比べても**遜色**がない出来だ。
□ 43 多数の敵を前に**尻込**みする。
□ 44 **膝詰**め談判をして妥協を引き出す。
□ 45 専門書を**貪**るようにして読む。
□ 46 **各**の項目について吟味する。
□ 47 **稚拙**な文章で恥ずかしい。
□ 48 公園は市民の**憩**いの場所だ。
□ 49 明朗**且**つ実直なスポーツマンだ。
□ 50 長い戦いの末に**和睦**を結んだ。
□ 51 親しい友人を候補者として**薦**めた。
□ 52 将来の夢を心に**誓**う。
□ 53 聞くに**堪**えない残酷な話だ。
□ 54 部屋にこもって**思索**にふける。
□ 55 もはや一刻の**猶予**もない状況だ。
□ 56 人口が大都市に**偏**っている。

25 ひよく
26 じょうぶつ
27 ととの
28 たむ
29 ほんい
30 く
31 いかく
32 すうじく
33 ちみつ
34 しょうび
35 あいぞ
36 ふさ
37 こ
38 い
39 こと
40 すその
41 せいさん
42 そんしょく
43 しりご
44 ひざづ
45 むさぼ
46 おのおの
47 ちせつ
48 いこ
49 か
50 わぼく
51 すす
52 ちか
53 た
54 しさく
55 ゆうよ
56 かたよ

A 書き取り―①

※次の――線のカタカナを漢字に直せ。

- □ 1 工場の閉鎖で在庫が**フッテイ**する。
- □ 2 会社の人間関係が**ワズラ**わしい。
- □ 3 構内の**カタスミ**に座りこむ。
- □ 4 **イヤ**な仕事でも引き受ける。
- □ 5 日々の**カテ**を得るために働く。
- □ 6 真夏の日ざしに汗が**シタタ**った。
- □ 7 忙しさに**マギ**れてつい忘れた。
- □ 8 道路の建設は税金で**マカナ**われる。
- □ 9 **コクビャク**をわきまえた言動だ。
- □ 10 訪問者に**シルコ**を振る舞った。
- □ 11 強行策から**カイジュウ**策に転じる。
- □ 12 **タク**みな演技で観客を魅了する。
- □ 13 **ケンアン**事項の解決が急がれる。
- □ 14 野心が完全に打ち**クダ**かれた。
- □ 15 修行の一環として**ダンジキ**をする。
- □ 16 当選の**アカツキ**には公約を果たす。
- □ 17 **ベンギ**上、代行を置いて運営する。
- □ 18 天気回復の**キザ**しが見えてきた。
- □ 19 結婚を機に**コトブキ**退社した。
- □ 20 人気を二分する**リョウユウ**だ。
- □ 21 万国旗が空に**ヒルガエ**る。
- □ 22 妹は生来の**コ**り性だ。
- □ 23 忠告を**ゲンシュク**に受け止める。
- □ 24 **ナヤ**から農機具を取り出す。

目標正答率
85%

／56

標準解答

1	2	3	4	5	6	7	8	9	10	11	12
払底	煩	片隅	嫌	糧	滴	紛	賄	黒白	汁粉	懐柔	巧

13	14	15	16	17	18	19	20	21	22	23	24
懸案	砕	断食	暁	便宜	兆	寿	両雄	翻	凝	厳粛	納屋

□ 25 ヒガンに祖父母の墓参りをする。
□ 26 対戦相手をチョウハツする。
□ 27 モッパら聞き役に回った。
□ 28 悪天候にハバまれ登頂を見送る。
□ 29 医師のショウダクを得て外出する。
□ 30 すべてをホウカツした指摘だ。
□ 31 シンジュのネックレスを贈る。
□ 32 エリを正して仕事に取り組む。
□ 33 アヤマちに気づき深く反省した。
□ 34 試合の判定に不満をツノらせる。
□ 35 道のカタワらに小さな地蔵がある。
□ 36 ヤナギの緑が目にしみる。
□ 37 流れ星がマタタく間に消えた。
□ 38 修業して料理の腕をミガく。
□ 39 田園風景がキョウシュウを誘う。
□ 40 失敗をサトられないよう取り繕う。
□ 41 事件は闇にホウムられた。
□ 42 足をスべらせて転倒した。
□ 43 三回忌の法要で寺におフセを渡す。
□ 44 居間のケイコウ灯を交換する。
□ 45 十年のサイゲツをかけて完成した。
□ 46 父は仕事をやめて急にフけこんだ。
□ 47 会社の利益を社会にカンゲンする。
□ 48 金魚がモの間を泳ぎ回る。
□ 49 仕事中にスイマに襲われる。
□ 50 ハイスイの陣を敷いて試合に臨む。
□ 51 タダし書きにも目を通す。
□ 52 いつも甘い言葉で相手をツる。
□ 53 二百年前にコンリュウされた寺だ。
□ 54 日々努力して実力をツチカった。
□ 55 有能なら家柄にはコウデイしない。
□ 56 与党が選挙でザンパイを喫した。

25 彼岸
26 挑発
27 専
28 阻
29 承諾
30 包括
31 真珠
32 襟
33 過
34 募
35 傍
36 柳
37 瞬
38 磨
39 郷愁
40 悟

41 葬
42 滑
43 布施
44 蛍光
45 歳月
46 老
47 還元
48 藻
49 睡魔
50 背水
51 但
52 釣
53 建立
54 培
55 拘泥
56 惨敗

かならず押さえる!
頻出度
A

書き取り②

目標正答率 85%

／56

※次の――線のカタカナを漢字に直せ。

□ 1 楽しい雰囲気を**カモ**し出した。
□ 2 性**コ**りもなく同じミスを犯す。
□ 3 ドアに人差し指を**ハサ**んだ。
□ 4 わたしにとって読書は心の**カテ**だ。
□ 5 神前で固い**チギ**りを結ぶ。
□ 6 周囲に**カツ**がれて立候補した。
□ 7 **イツク**しみに満ちた言葉をかける。
□ 8 当たり**サワ**りない話題を選ぶ。
□ 9 弱い敵でも**アナド**ってはならない。
□ 10 **ヒガタ**に多くの生き物が生息する。
□ 11 医学の**モトイ**を築いた人物だ。
□ 12 歳をとり体力の**オトロ**えを感じる。
□ 13 **ツル**を張り、矢を放った。
□ 14 屋根から水が**シタタ**り落ちる。
□ 15 **ワズラ**わしい手続きを簡略化する。
□ 16 この犬は人によく**ナツ**く。
□ 17 おせちを食べて**ハラツヅミ**を打つ。
□ 18 **デイスイ**した乗客を介抱する。
□ 19 **カラ**まった糸をほぐす。
□ 20 勝ちを**アセ**ると失敗する。
□ 21 試合を前に健闘を**チカ**い合う。
□ 22 街頭で**ユウベン**に持論を展開した。
□ 23 部屋の**スミ**に机を置いた。
□ 24 冬の空に美しい星が**マタタ**く。

標準解答

1 醸
2 懲
3 挟
4 糧
5 契
6 担
7 慈
8 障
9 侮
10 干潟
11 基
12 衰
13 弦
14 滴
15 煩
16 懐
17 腹鼓
18 泥酔
19 絡
20 焦
21 誓
22 雄弁
23 隅
24 瞬

□ 25 歯車に**ジュンカツ**油を差す。
□ 26 **キョウキン**を開いて話し合う。
□ 27 洋楽に**ケイトウ**している。
□ 28 敗戦で時代の**テンカン**期を迎えた。
□ 29 ご**リヤク**を願ってお守りを買う。
□ 30 音楽室でピアノを**カナ**でる。
□ 31 新しい任地に**オモム**いた。
□ 32 国を**ス**べる器量のある人物だ。
□ 33 けなげな姿が**アワ**れみをさそった。
□ 34 柔よく**ゴウ**を制す。
□ 35 富と名声を**ホッ**する。
□ 36 **カンバ**しい花の香りを吸い込む。
□ 37 戦功が認められ領地を**タマワ**る。
□ 38 落ち込んでいる友人を**ナグサ**める。
□ 39 楽しく**カ**つ実りある会にしたい。
□ 40 木の間から**モ**れる日ざしが美しい。

□ 41 体内の血液が**ジュンカン**する。
□ 42 古美術の**メキ**きをする。
□ 43 座右の**メイ**を色紙に書いた。
□ 44 老朽化した道路が**カンボツ**した。
□ 45 城跡は**イシズエ**だけが残っている。
□ 46 輸入制限の**テッパイ**を訴える。
□ 47 赤い実が**スズ**なりになっている。
□ 48 チームで**ヒトキワ**目立つ選手だ。
□ 49 ライバルの動静を**ハアク**する。
□ 50 長年の悲願が**ジョウジュ**した。
□ 51 圧政に長く**シイタ**げられた。
□ 52 ご清栄の**ヨシ**何よりと存じます。
□ 53 教会に**ソウゴン**な音楽が響く。
□ 54 豊作で**ヨジョウ**農産物を処分する。
□ 55 著名人に出馬を**ダシン**する。
□ 56 偉大な父の**クントウ**を受ける。

25 潤滑
26 胸襟
27 傾倒
28 転換
29 利益
30 奏
31 赴
32 統
33 哀
34 剛
35 欲
36 芳
37 賜
38 慰
39 且
40 漏

41 循環
42 目利
43 銘
44 陥没
45 礎
46 撤廃
47 鈴
48 一際
49 把握
50 成就
51 虐
52 由
53 荘厳
54 余剰
55 打診
56 薫陶

読み 504問
書き取り② 504問
四字熟語 224問
送りがな 168問
誤字訂正 280問
対義語・類義語 192問
同音・同訓異字 224問
部首 168問
熟語の構成 177問

かならず押さえる！
頻出度
A

書き取り③

目標正答率85%
／56

※次の——線のカタカナを漢字に直せ。

□1 クドクを積むことに励む。
□2 赴任先でカイキョウの念を抱く。
□3 鮮やかな包丁さばきをエトクする。
□4 ケイリュウのせせらぎに癒やされる。
□5 エリモトにアクセサリーをつける。
□6 大統領が国中をユウゼイして回る。
□7 ウスを回してそば粉を作る。
□8 日々の練習でスり傷が絶えない。
□9 ガクフを見ずにピアノを弾く。
□10 三度も落選するウき目に遭った。
□11 幻想的な色調をカモし出す。
□12 失敗にコりず再起を誓う。
□13 ミジめな思いは二度としたくない。
□14 日用雑貨がフッテイしている。
□15 手のひらをヒルガエすような態度だ。
□16 参加者の意見をホウカツする。
□17 書類にオウインして申し込んだ。
□18 生徒からシタわれている先生だ。
□19 閉ざされたモンピの前に立つ。
□20 実力が出せずハナハだ不本意だ。
□21 不満がつのり堪忍袋のオが切れた。
□22 九針をヌう大けがを負った。
□23 父はウデキきのたたみ職人だ。
□24 ヨコナグりの雨が降ってきた。

標準解答

1 功徳
2 懐郷
3 会得
4 渓流
5 襟元
6 遊説
7 臼
8 擦
9 楽譜
10 憂
11 醸
12 懲
13 惨
14 払底
15 翻
16 包括
17 押印
18 慕
19 門扉
20 甚
21 緒
22 縫
23 腕利
24 横殴

□25 スポーツマンで体が**シ**まっている。
□26 部下を**トモナ**って営業に出かける。
□27 入院して**テンテキ**を受けた。
□28 **ケン**の達人として世に知られる。
□29 小売店に電気製品を**オロ**す。
□30 年始に地元の**ウジガミ**に参る。
□31 ゆで卵の**カラ**をむく。
□32 互いの視線が**コウサク**した。
□33 着物を**タタ**んで、たんすにしまう。
□34 蚕の繭から糸を**ツム**ぐ。
□35 税収が増え財政が**ウルオ**う。
□36 **ツナ**引きの熱戦で歓声が上がった。
□37 警察の不正に**イキドオ**る。
□38 **ボンノウ**を消し去ることは難しい。
□39 **ザンテイ**的な対応で急場をしのぐ。
□40 砂浜で**コウラ**干しをした。

□41 **チュウシン**からの謝罪を受けた。
□42 努力の成果を**ニョジツ**に物語る。
□43 **ヒョウロウ**が尽きて降参する。
□44 親戚の家に**イソウロウ**する。
□45 前人未到の難事に**イド**む。
□46 紛争の**カチュウ**に身を投じた。
□47 好機を**イッ**して悔しがる。
□48 岸壁で**チョウカ**を自慢しあう。
□49 本人に自覚を**ウナガ**す。
□50 **ツツシ**んでお悔やみ申し上げます。
□51 **ジンリン**にもとる非道な犯行だ。
□52 群衆が殺到して道を**サエギ**る。
□53 友の親切を身に**シ**みて感じる。
□54 わずかな食料で**ウ**えをしのいだ。
□55 子供に**ホウビ**を与える。
□56 障子の破れを**ツクロ**った。

25 締
26 伴
27 点滴
28 剣
29 卸
30 氏神
31 殻
32 交錯
33 畳
34 紡
35 潤
36 綱
37 憤
38 煩悩
39 暫定
40 甲羅

41 衷心
42 如実
43 兵糧
44 居候
45 挑
46 渦中
47 逸
48 釣果
49 促
50 謹
51 人倫
52 遮
53 染
54 飢
55 褒美
56 繕

読み 504問
書き取り③ 504問
四字熟語 224問
送りがな 168問
誤字訂正 280問
対義語・類義語 192問
同音・同訓異字 224問
部首 168問
熟語の構成 177問

かならず押さえる！

頻出度 A

書き取り―④

※次の――線のカタカナを漢字に直せ。

□1 音楽を心の**カテ**として生きる。
□2 横から口を**ハサ**むべきではない。
□3 二大勢力がしのぎを**ケズ**る。
□4 **イ**まわしい記憶を消し去りたい。
□5 熱心に**ボンサイ**の手入れをする。
□6 車の修理代を**ツグナ**う。
□7 **タ**めるなら若木のうち。
□8 知事が**シュヒン**として招かれた。
□9 **カマモト**に磁器を注文した。
□10 食料品価格が**キュウトウ**している。
□11 将来を**チギ**り合った間柄だ。
□12 産業の発展に大きく**コウケン**した。
□13 人間の心理を**ドウサツ**する。
□14 父は今朝から**キゲン**が悪い。
□15 虫に刺された箇所が赤く**ハ**れる。
□16 給与は**ネンポウ**制だ。
□17 対戦相手の練習を**テイサツ**する。
□18 債務者に**トクソク**状を送付する。
□19 自転車が坂を**ダセイ**で下る。
□20 **コショウ**に渡り鳥が飛来する。
□21 **カブン**にして存じ上げません。
□22 問題の解決に**ナンジュウ**している。
□23 **ガクバツ**が幅を利かせている。
□24 **マドギワ**に薄日が差し込む。

目標正答率
85%

標準解答

1 糧
2 挟
3 削
4 忌
5 盆栽
6 償
7 矯
8 主賓
9 窯元
10 急騰
11 契
12 貢献
13 洞察
14 機嫌
15 腫
16 年俸
17 偵察
18 督促
19 惰性
20 湖沼
21 寡聞
22 難渋
23 学閥
24 窓際

□25 戦地に向けて**カンテイ**が出港した。
□26 **サワ**らぬ神にたたりなし。
□27 社員に早期退職を**カンショウ**する。
□28 模型の飛行機作りに**コ**っている。
□29 **シャショウ**が切符を確認する。
□30 主人の**オオ**せのままに行動する。
□31 子供が犬と**タワム**れている。
□32 次代を**ニナ**う若者たちの集まりだ。
□33 常識を**クツガエ**す発想だ。
□34 来客を**ネンゴ**ろにもてなした。
□35 **ナツ**かしい曲に思わず足を止める。
□36 先輩に**ベンギ**を図ってもらう。
□37 自然を**イツク**しんで生活する。
□38 **アカツキ**に船の汽笛が響く。
□39 ガラスが粉々に**クダ**けている。
□40 寺にこもり**ダンジキ**修行をする。

□41 店は週末で活況を**テイ**している。
□42 **クドク**を積んで高僧になる。
□43 地方を**ユウゼイ**して回った。
□44 勢力の**キンコウ**を保っている。
□45 他人に責任を**テンカ**した。
□46 先方の意向を**ク**んで再考した。
□47 騒音が安眠を**サマタ**げた。
□48 新年の**コトブキ**で親族が集合した。
□49 敵兵を**クチク**すべく全力で戦う。
□50 赤ん坊を**ユ**りかごに寝かしつける。
□51 **タツマキ**で大きな被害を受けた。
□52 病院で**ヨウツウ**を診察してもらう。
□53 大手企業を地元に**ユウチ**する。
□54 流れる**セ**の音に心が安らぐ。
□55 屋根に登って**アマモ**りを補修する。
□56 **カセ**いだお金で旅行する。

25 艦艇	26 触	27 勧奨	28 凝	29 車掌	30 仰	31 戯	32 担
33 覆	34 懇	35 懐	36 便宜	37 慈	38 暁	39 砕	40 断食
41 呈	42 功徳	43 遊説	44 均衡	45 転嫁	46 酌	47 妨	48 寿
49 駆逐	50 揺	51 竜巻	52 腰痛	53 誘致	54 瀬	55 雨漏	56 稼

かならず押さえる！

頻出度 A

書き取り──⑤

目標正答率 85%

／56

※次の──線のカタカナを漢字に直せ。

□ 1 **ショウコ**りもなく再び罪を犯した。
□ 2 母から**シンジュ**の指輪を贈られた。
□ 3 害虫の侵入を**ミズギワ**で防止する。
□ 4 均等な間隔で**ウネ**に苗を植える。
□ 5 寄付金の出し**オ**しみをする。
□ 6 筆の**ホサキ**を整える。
□ 7 優秀な人材を**カツボウ**する。
□ 8 志半ばで**キョウジン**に倒れた。
□ 9 **ジュウナン**な対応がのぞまれる。
□ 10 法案を一時的に**タナア**げにする。
□ 11 若者らしい**ハキ**が感じられない。
□ 12 平和条約が**テイケツ**された。
□ 13 ご出席頂ければ**コウジン**です。
□ 14 住職のお**キョウ**を読む声が響く。
□ 15 初優勝が**マボロシ**に終わる。
□ 16 合格するか**イナ**かで将来が決まる。
□ 17 身分を**イツワ**って侵入する。
□ 18 親類を**ショクタク**職員として雇う。
□ 19 親の手伝いをして**ダチン**を稼ぐ。
□ 20 **レイセツ**をわきまえて行動する。
□ 21 寝過ごして**アワ**てて飛び出した。
□ 22 **キョウリョウ**な考えを改める。
□ 23 若いのに**ツラ**構えが頼もしい。
□ 24 長年の努力が**スイホウ**に帰した。

標準解答

1 性懲
2 真珠
3 水際
4 畝
5 惜
6 穂先
7 渇望
8 凶刃
9 柔軟
10 棚上
11 覇気
12 締結
13 幸甚
14 経
15 幻
16 否
17 偽
18 嘱託
19 駄賃
20 礼節
21 慌
22 狭量
23 面
24 水泡

□ 25 食器をシャフツ消毒した。
□ 26 道路のジュウタイで到着が遅れる。
□ 27 悪徳業者が不当にサクシュする。
□ 28 城のホリに沿って桜を植える。
□ 29 ユエあって詳細は話せない。
□ 30 数字のラレツを記憶する。
□ 31 鬼が出るかジャが出るか。
□ 32 民衆が領主にネングを納める。
□ 33 環境破壊が世界に影響をオヨぼす。
□ 34 あれこれとナンクセをつけられた。
□ 35 自覚ショウジョウがない病気だ。
□ 36 会議がフンキュウし結論が出ない。
□ 37 ハチ植えいじりが休日の楽しみだ。
□ 38 ハグキがはれて熱を持つ。
□ 39 上演中はごセイシュクに願います。
□ 40 地方支社にサセンされる。

□ 41 ジュウケツしたので目薬を差す。
□ 42 初めに辞書のハンレイを読む。
□ 43 借金返済のサイソクを受ける。
□ 44 友と再会の約束をカわした。
□ 45 皆の期待にソうように頑張る。
□ 46 一ツボとは、六尺平方の広さだ。
□ 47 ケイセツの功を積む。
□ 48 受験に必要な科目をリシュウした。
□ 49 兄の成績とウンデイの差がある。
□ 50 うれしいの一言にツきる。
□ 51 医はジンジュツなり。
□ 52 割った花瓶をベンショウする。
□ 53 テブクロを片方落とした。
□ 54 国内のコウバイ力が上昇する。
□ 55 連休で高速道路は車のコウズイだ。
□ 56 コウリョウとした原野が広がる。

25 煮沸
26 渋滞
27 搾取
28 堀
29 故
30 羅列
31 蛇
32 年貢
33 及
34 難癖
35 症状
36 紛糾
37 鉢
38 歯茎
39 静粛
40 左遷

41 充血
42 凡例
43 催促
44 交
45 添
46 坪
47 蛍雪
48 履修
49 雲泥
50 尽
51 仁術
52 弁償
53 手袋
54 購買
55 洪水
56 荒涼

かならず押さえる！

頻出度 A

書き取り ⑥

※次の――線のカタカナを漢字に直せ。

□ 1 古代文明の**ハッショウ**の地です。

□ 2 流れる額の汗をタオルで**ヌグ**った。

□ 3 海を見に**ミサキ**まで散歩する。

□ 4 容疑者を厳しく**キツモン**した。

□ 5 **ユウズウ**のきかない性格だ。

□ 6 故郷に**モド**って家を継ぐ。

□ 7 西の空に**ヨイ**の明星を見つけた。

□ 8 あてもなく各地を**ルロウ**する。

□ 9 化学で彼に**ヒケン**する者はいない。

□ 10 紙面を**サ**いて事件の内容を報じた。

□ 11 口を**ス**っぱくして注意する。

□ 12 初心者にありがちな**アヤマ**ちだ。

□ 13 下手な**サルシバイ**を演じる。

□ 14 雨の中を**カサ**を差して駅まで歩く。

□ 15 豊作を願って**カグラ**が奉納された。

□ 16 **アマグツ**を履いて川を渡る。

□ 17 事態は**ドロヌマ**の様相を呈した。

□ 18 **ガンコ**一徹で聞く耳を持たない。

□ 19 まな板に**コウキン**加工を施す。

□ 20 **シャクドウ**色の仏像が並んでいる。

□ 21 差し**サワ**りのない話に終始する。

□ 22 母校の名を**ケガ**す行為だ。

□ 23 成功を収め失態を**ソウサイ**する。

□ 24 **アナド**りがたい実力を持つ。

標準解答

1	2	3	4	5	6	7	8	9	10	11	12
発祥	拭	岬	詰問	融通	戻	宵	流浪	比肩	割	酸	過

13	14	15	16	17	18	19	20	21	22	23	24
猿芝居	傘	神楽	雨靴	泥沼	頑固	抗菌	赤銅	障	汚	相殺	侮

目標正答率 85%

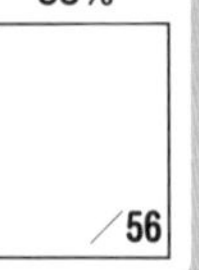

□ 25 **マユ**をつむいで生糸を生産する。
□ 26 ボールを**ケ**って味方に渡す。
□ 27 **ヒザ**を交えて本音で語り合う。
□ 28 政党の**ハバツ**の解消に努める。
□ 29 再三挑戦したがついに**アキラ**めた。
□ 30 鮮魚を**シオヅ**けにして保存する。
□ 31 自然の**ソウダイ**さに目をみはった。
□ 32 **ヘイコウ**感覚に優れている。
□ 33 参加者の**タカ**を問わず決行する。
□ 34 高原の**セイチョウ**な空気を吸う。
□ 35 **イオウ**を含む温泉で湯治する。
□ 36 優勝を**ネラ**える顔ぶれがそろう。
□ 37 最終的に**ダトウ**な結論を導く。
□ 38 実験室で微生物を**バイヨウ**する。
□ 39 情報の**シンギ**について調査する。
□ 40 知人と**リョウテイ**で食事する。

□ 41 ついに**バキャク**をあらわした。
□ 42 **フメン**に音符を書き込んだ。
□ 43 話の**ショウテン**を絞る。
□ 44 **ヒヨク**な土壌は、天の恵みだ。
□ 45 船が南風を受けて**ハンソウ**する。
□ 46 確認を**オコタ**らないよう指示する。
□ 47 草野球の**シンパン**を務める。
□ 48 来年の計画の**ワクグ**みが決まる。
□ 49 石油資源を求めて海底を**ホ**る。
□ 50 母の手料理に**シタツヅミ**を打つ。
□ 51 感染症対策として**ボウエキ**を強化する。
□ 52 育ちざかりで食欲が**オウセイ**だ。
□ 53 新規事業の**フクアン**を練る。
□ 54 社長への就任を**コンセイ**される。
□ 55 **ワイロ**を贈ったことが発覚した。
□ 56 妹は**モッパ**ら家で絵を描いている。

25 繭	26 蹴	27 膝	28 派閥	29 諦	30 塩漬	31 壮大	32 平衡	33 多寡	34 清澄	35 硫黄	36 狙	37 妥当	38 培養	39 真偽	40 料亭
41 馬脚	42 譜面	43 焦点	44 肥沃	45 帆走	46 怠	47 審判	48 枠組	49 掘	50 舌鼓	51 防疫	52 旺盛	53 腹案	54 懇請	55 賄賂	56 専

かならず押さえる！
頻出度
A

書き取り—⑦

※次の——線のカタカナを漢字に直せ。

□1 客にマッチャと和菓子を振る舞う。
□2 個々人は生存権をキョウユウする。
□3 孫娘の仕草に顔がホコロびた。
□4 最後までネバり勝利を得た。
□5 主人にウヤウヤしく一礼した。
□6 流言が世間の口のハに上る。
□7 玄関でスリッパにハきかえる。
□8 荷物をアミダナに置き忘れた。
□9 リンリ的に許されない行為だ。
□10 台風の勢いがようやくオトロえた。
□11 私情がカラまりややこしくなる。
□12 語学にヒイでた人を採用する。
□13 会社のモトイを築いた人物だ。
□14 アセらずにゆっくり進む。
□15 企画実行のショウダクが得られた。
□16 兄はカラい味付けを好む。
□17 巻末のサクインを見る。
□18 大掃除で窓をミガいた。
□19 うわさ話はヤナギに風と受け流す。
□20 弓のツルが突然切れた。
□21 強敵に連勝をハバまれた。
□22 話すときに髪を触るクセがある。
□23 キセイの事実で変えようがない。
□24 清流のほとりでホタルの光が瞬く。

目標正答率 85%
／56

標準解答

1 抹茶
2 享有
3 綻
4 粘
5 恭
6 端
7 履
8 網棚
9 倫理
10 衰
11 絡
12 秀
13 基
14 焦
15 承諾
16 辛
17 索引
18 磨
19 柳
20 弦
21 阻
22 癖
23 既成
24 蛍

□ 25 事件の真相をやみに**ホウム**る。
□ 26 ぬれた**フキン**を絞って干す。
□ 27 校庭の片隅で**ニワトリ**を飼う。
□ 28 **タマシイ**が込められた名作だ。
□ 29 岸に**ヒョウチャク**した瓶を拾う。
□ 30 ゴール前で激しく**セ**り合った。
□ 31 帽子を**マブカ**にかぶる。
□ 32 何をするにも初めが**カンヨウ**だ。
□ 33 **ナグ**り合いのけんかを止める。
□ 34 **ニセサツ**が市中に出回っている。
□ 35 **クチビル**をかんでくやしがる。
□ 36 下絵に沿って版木を**ホ**っていく。
□ 37 誕生祝いで赤飯を**タ**く。
□ 38 商社で**ショウガイ**業務を担当する。
□ 39 **クヤ**しさをばねに猛練習する。
□ 40 困っている人に**ジヒ**をかける。

□ 41 **ユル**やかなカーブに差しかかった。
□ 42 信頼していた友人に**アザム**かれる。
□ 43 知人の逝去を**イタ**み弔電を打った。
□ 44 事件がもとで**コウテツ**された。
□ 45 **コゴ**える手をたき火にかざす。
□ 46 応募作品の中で一際**イサイ**を放つ。
□ 47 事件を**ケイキ**に罰則が強化された。
□ 48 **カ**の羽音がうるさくて眠れない。
□ 49 動物の生息環境を**オビヤ**かす。
□ 50 井戸水で**カワ**いた喉を潤す。
□ 51 友人との間の**ミゾ**が深まった。
□ 52 敗者に**ハゲ**ましの言葉を贈った。
□ 53 上司に心得違いを**サト**された。
□ 54 連日の快晴で洗濯物がよく**カワ**く。
□ 55 家臣の**チュウゲン**に従う。
□ 56 組織のトップは常に**コドク**だ。

25	26	27	28	29	30	31	32	33	34	35	36	37	38	39	40
葬	布巾	鶏	魂	漂着	競	目深	肝要	殴	偽札	唇	彫	炊	渉外	悔	慈悲

41	42	43	44	45	46	47	48	49	50	51	52	53	54	55	56
緩	欺	悼	更迭	凍	異彩	契機	蚊	脅	渇	溝	励	諭	乾	忠言	孤独

かならず押さえる！

頻出度 A

書き取り――⑧

※次の――線のカタカナを漢字に直せ。

- □ 1 姉が**トツ**いだ町を訪れる。
- □ 2 **ヨイゴ**しの茶は飲むなといわれる。
- □ 3 **ヒガタ**は野鳥の宝庫だ。
- □ 4 とっさに身を**フ**せて隠れる。
- □ 5 **ボン**に精霊流しをして先祖を送る。
- □ 6 老人の横を**ジョコウ**して通過した。
- □ 7 思わぬところに危険が**ヒソ**む。
- □ 8 **アサセ**で浮き輪を使って遊んだ。
- □ 9 商品の**チンレツ**を一新した。
- □ 10 **チョウメイ**な青空が広がっている。
- □ 11 雨漏りする屋根を**フシン**する。
- □ 12 背が高いのは**オヤユズ**りだ。
- □ 13 圧倒的な歌唱力で**ミリョウ**する。
- □ 14 **ドロナワ**の対策を批判される。
- □ 15 がけの**フチ**は立ち入り禁止だ。
- □ 16 **ゲンソウ**的な世界を水彩画に描く。
- □ 17 赤ちゃんが**ウブゴエ**を上げた。
- □ 18 決勝戦で逆転負けを**キッ**した。
- □ 19 許しがたい不正を**アバ**く。
- □ 20 恥ずかしさで顔が**ホテ**った。
- □ 21 **カシコ**いお金の遣い方を学んだ。
- □ 22 家賃の支払いが**トドコオ**っている。
- □ 23 **コウイン**とは歳月のことである。
- □ 24 金融**キョウコウ**が全世界に波及した。

標準解答

1 嫁	2 宵越	3 干潟	4 伏	5 盆	6 徐行	7 潜	8 浅瀬	9 陳列	10 澄明	11 普請	12 親譲
13 魅了	14 泥縄	15 縁	16 幻想	17 産声	18 喫	19 暴	20 火照	21 賢	22 滞	23 光陰	24 恐慌

目標正答率 85%

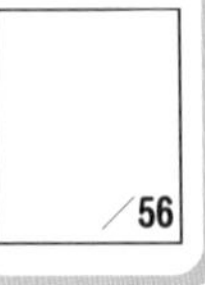

□ 25 医療技術が格段の進歩を**ト**げる。
□ 26 手の**ホドコ**しようがない。
□ 27 晴天続きで**カッスイ**に悩まされる。
□ 28 **ビョウソウ**を見極めて摘出する。
□ 29 **チツジョ**立てて説明する。
□ 30 **ガロウ**で念願の個展を開く。
□ 31 皮膚が**エンショウ**を起こしている。
□ 32 その計画は**キジョウ**の空論だ。
□ 33 天井の**ケイコウトウ**を交換する。
□ 34 五月の**クンプウ**に誘われて旅に出た。
□ 35 祖父の**ショウゾウ**画を飾った。
□ 36 **ソソノカ**されて悪事に加担した。
□ 37 神主に**ノリト**をあげてもらった。
□ 38 合戦で**テッポウ**を使用する。
□ 39 下駄箱に**ウワグツ**をしまう。
□ 40 **ロウニャク**男女問わずに楽しめる。

□ 41 **タクバツ**した演技で心をつかんだ。
□ 42 **ビンボウ**暇なし。
□ 43 **キク**の御紋は皇族の象徴だ。
□ 44 昔からの風習が**スタ**れている。
□ 45 やけどが一週間で**チユ**した。
□ 46 まさしく**アクセン**身に付かずだ。
□ 47 難民が**キガ**に苦しんでいる。
□ 48 **レイジョウ**の名に恥じない女性だ。
□ 49 白鳥が**コクウ**に舞い上がった。
□ 50 **ネコ**の目のように気分が変わる。
□ 51 自己**ケンオ**の念にとらわれる。
□ 52 不要な文書を**マッショウ**する。
□ 53 希望に胸を**フク**らませている。
□ 54 水に浸した**ゾウキン**を固く絞る。
□ 55 この勝利は汗と涙の**ケッショウ**だ。
□ 56 **ウスゴオリ**を踏んで春を感じる。

25 遂
26 施
27 渇水
28 病巣
29 秩序
30 画廊
31 炎症
32 机上
33 蛍光灯
34 薫風
35 肖像
36 唆
37 祝詞
38 鉄砲
39 上靴
40 老若

41 卓抜
42 貧乏
43 菊
44 廃
45 治癒
46 悪銭
47 飢餓
48 令嬢
49 虚空
50 猫
51 嫌悪
52 抹消
53 膨
54 雑巾
55 結晶
56 薄氷

書き取り―⑨

※次の――線のカタカナを漢字に直せ。

□1 かみそりで顔の**ウブゲ**をそる。
□2 全国から空手の**モサ**が集まった。
□3 親の恩恵を**キョウジュ**している。
□4 ガソリンの**オロシネ**が上がる。
□5 **ハチク**の勢いで連勝する。
□6 周りから**シット**される程の美貌だ。
□7 弟子の活躍にご**マンエツ**だ。
□8 **タビ**を履いて着物を着る。
□9 学んだことをすぐに**ジッセン**する。
□10 **フゼイ**のある街並みを保存する。
□11 植物は**クキ**を通して水を運ぶ。
□12 **カンダイ**な取り計らいを求める。
□13 聴衆から**バセイ**を浴びせられる。
□14 新築の**ムネア**げを祝う。
□15 **アイマイ**な返事でお茶を濁した。
□16 画壇に**センプウ**を巻き起こした。
□17 **ダイタン**な意匠が人の目を引いた。
□18 事業が成功して**ゴウテイ**を建てた。
□19 進学する学校を**センタク**する。
□20 植物の**シュビョウ**を購入した。
□21 **シブ**い顔をせずに引き受ける。
□22 突然の質問で返答に**キュウ**した。
□23 **アイビョウ**家として近所で有名だ。
□24 優秀な学生だと**タイコバン**を押す。

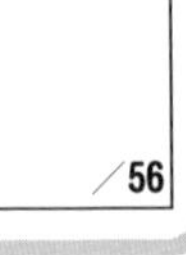

標準解答

1 産毛
2 猛者
3 享受
4 卸値
5 破竹
6 嫉妬
7 満悦
8 足袋
9 実践
10 風情
11 茎
12 寛大
13 罵声
14 棟上
15 曖昧
16 旋風
17 大胆
18 豪邸
19 選択
20 種苗
21 渋
22 窮
23 愛猫
24 太鼓判

□25 **キンミツ**な協力関係を築く。
□26 **ツマサキ**上がりの坂道を駆け上る。
□27 なんとも**ゲ**せない説明だ。
□28 鉄の**カタマリ**を溶かして成型する。
□29 大臣に発言の**テッカイ**を求めた。
□30 神社で**シュウギ**が執り行われた。
□31 山村の**カソ**化が危ぶまれている。
□32 皆様、**フル**ってご参加ください。
□33 **トウジョウ**手続きを済ませる。
□34 大失敗で深い**ザイゴウ**を背負う。
□35 誘惑に負けて**マ**が差した。
□36 すり減った包丁の**ハ**を研ぐ。
□37 秋の夜が次第に**フ**けてきた。
□38 湖畔に多数の**ツル**が飛来する。
□39 **ダソク**ながら申し上げます。
□40 **ショウチュウ**を飲んで体を温める。

□41 **シツド**が高い日が続く。
□42 突然**ニンプ**が産気づいた。
□43 先代の**ヨクン**で人脈に恵まれる。
□44 苦しい**キョウグウ**を耐え忍ぶ。
□45 厚手のカーテンで**シャコウ**する。
□46 仮眠で体力の**ショウモウ**を防ぐ。
□47 隣国に領土を**ヘンカン**する。
□48 お別れ会で故人の**イツワ**を語る。
□49 数々の**シュラバ**をくぐり抜ける。
□50 **ハナヅラ**をなでて馬をなだめた。
□51 事故で**イ**った友をしのぶ。
□52 厳かな**ドキョウ**の声が堂内に響く。
□53 ガソリンは常温で**キハツ**しやすい。
□54 **ケイベツ**のまなざしにむっとした。
□55 屋根の**カワラ**をふき替える。
□56 場の**フンイキ**に飲まれてしまった。

25 緊密
26 爪先
27 解
28 塊
29 撤回
30 祝儀
31 過疎
32 奮
33 搭乗
34 罪業
35 魔
36 刃
37 更
38 鶴
39 蛇足
40 焼酎

41 湿度
42 妊婦
43 余薫
44 境遇
45 遮光
46 消耗
47 返還
48 逸話
49 修羅場
50 鼻面
51 逝
52 読経
53 揮発
54 軽蔑
55 瓦
56 雰囲気

A

四字熟語—①

※次の□に漢字を入れ、四字熟語を完成させよ。

□ 1 □□休題〔それはさておき〕
□ 2 □□飽食〔なんの不足もない満ち足りた生活〕
□ 3 隠忍□□〔苦しみなどをじっとこらえる様子〕
□ 4 □□牛後〔大組織の末端より小組織の長となれ〕
□ 5 勇猛□□〔勇ましくて強く決断力に富む様子〕
□ 6 吉凶□□〔運勢や縁起などのよしあし〕
□ 7 朝令□□〔命令などがすぐに変わって定まらない〕
□ 8 □□秩序〔社会が落ち着き秩序のある様子〕
□ 9 □□大悲〔限りなく大きい慈悲〕
□ 10 竜頭□□〔頭でっかち尻すぼみのたとえ〕
□ 11 □□無恥〔あつかましくて恥知らずな様子〕
□ 12 □□水明〔自然の景観が清らかで美しいこと〕
□ 13 生者□□〔生きているものはかならず死ぬということ〕
□ 14 内憂□□〔内にもそとにも問題が多いこと〕
□ 15 春宵□□〔春の夜は趣深く価値があるということ〕
□ 16 盛者□□〔勢いの盛んな者はいつかおとろえる〕
□ 17 □□短小〔軽々しく中身のない様子〕
□ 18 □□管弦〔文学と音楽〕
□ 19 昼夜□□〔昼と夜の区別なく物事を行うこと〕
□ 20 自由□□〔自分の思うままに行動する様子〕
□ 21 放歌□□〔あたりかまわず大声で歌うこと〕
□ 22 会者□□〔この世は無常であることのたとえ〕
□ 23 □□外親〔外見は親しそうだが実は違うこと〕
□ 24 堅忍□□〔困難に耐え心を動かさないこと〕

目標正答率
書き取り80%
意味90%

／56

標準解答

1 閑(間)話休題（かんわきゅうだい）
2 暖衣飽食（だんいほうしょく）
3 隠忍自重（いんにんじちょう）
4 鶏口牛後（けいこうぎゅうご）
5 勇猛果敢（ゆうもうかかん）
6 吉凶禍福（きっきょうかふく）
7 朝令暮改（ちょうれいぼかい）
8 安寧秩序（あんねいちつじょ）
9 大慈大悲（だいじだいひ）
10 竜頭蛇尾（りゅうとうだび）
11 厚顔無恥（こうがんむち）
12 山紫水明（さんしすいめい）
13 生者必滅（しょうじゃひつめつ）
14 内憂外患（ないゆうがいかん）
15 春宵一刻（しゅんしょういっこく）
16 盛者必衰（じょうしゃ（しょうじゃ）ひっすい）
17 軽薄短小（けいはくたんしょう）
18 詩歌管弦（しいかかんげん）
19 昼夜兼行（ちゅうやけんこう）
20 自由奔放（じゆうほんぽう）
21 放歌高吟（ほうかこうぎん）
22 会者定離（えしゃじょうり）
23 内疎外親（ないそがいしん）
24 堅忍不抜（けんにんふばつ）

頻出度 A

読み 504問
書き取り 504問
四字熟語① 224問
送りがな 168問
誤字訂正 280問
対義語・類義語 192問
同音・同訓異字 224問
部首 168問
熟語の構成 177問

- □ 25 □□諾諾〔相手の言葉に逆らわずおもねること〕
- □ 26 □□存亡〔危険が迫り生きるか死ぬか紙一重の状態〕
- □ 27 飛花□□〔世の中は常に移り変わっていく〕
- □ 28 雲水□□〔僧が修行のために諸国を巡ること〕
- □ 29 □□壮大〔心構えや発想が大きくて立派なこと〕
- □ 30 □□自在〔他人を自分の思いのままに扱うこと〕
- □ 31 比翼□□〔男女の情愛が深いことのたとえ〕
- □ 32 □□豪傑〔多くの中で特に優れた人物〕
- □ 33 一陽□□〔悪運が続いたあと幸運に向かうこと〕
- □ 34 泰然□□〔落ち着きはらって物事に動じない様子〕
- □ 35 □□卓説〔優れた意見や説〕
- □ 36 巧遅□□〔上手で遅いより下手でもはやいほうがよい〕
- □ 37 迅速□□〔すばやく決断し思い切って行うこと〕
- □ 38 □□妄想〔自分の現状を過大評価し思い込むこと〕
- □ 39 率先□□〔先頭に立って手本となること〕
- □ 40 初志□□〔初めの志を最後まで守り続けること〕
- □ 41 良風□□〔うつくしい風習や風俗〕
- □ 42 眉目□□〔顔だちが美しく整っていること〕
- □ 43 □□徒食〔何もせずぶらぶらと日を過ごすこと〕
- □ 44 □□三斗〔非常に恐ろしい目にあうこと〕
- □ 45 換骨□□〔外形は同じままで中身を取りかえる〕
- □ 46 □□実直〔つつしみ深く誠実で正直なこと〕
- □ 47 □□冬扇〔役に立たないもののたとえ〕
- □ 48 □□奮闘〔支援者のない中で懸命に努力する〕
- □ 49 □□堅固〔備えがしっかりしていること〕
- □ 50 □□妥当〔どんな場合にも真理として認められる〕
- □ 51 天衣□□〔飾りけがなく自然なこと〕
- □ 52 □□転倒〔物事の順序や立場などが逆転すること〕
- □ 53 □□肉林〔ぜいたくの限りを尽くした宴会〕
- □ 54 衆人□□〔大勢の人が取りまいて見ている状態〕
- □ 55 粗製□□〔不良品をやたら多くつくること〕
- □ 56 森羅□□〔宇宙に存在するすべてのもの〕

- 25 唯唯(々)諾諾(々)（いいだくだく）
- 26 危急存亡（ききゅうそんぼう）
- 27 飛花落葉（ひからくよう）
- 28 雲水行脚（うんすいあんぎゃ）
- 29 気宇壮大（きうそうだい）
- 30 活殺自在（かっさつじざい）
- 31 比翼連理（ひよくれんり）
- 32 英俊豪傑（えいしゅんごうけつ）
- 33 一陽来復（いちようらいふく）
- 34 泰然自若（たいぜんじじゃく）
- 35 高論卓説（こうろんたくせつ）
- 36 巧遅拙速（こうちせっそく）
- 37 迅速果断（じんそくかだん）
- 38 誇大妄想（こだいもうそう）
- 39 率先垂範（そっせんすいはん）
- 40 初志貫徹（しょしかんてつ）
- 41 良風美俗（りょうふうびぞく）
- 42 眉目秀麗（びもくしゅうれい）
- 43 無為徒食（むいとしょく）
- 44 冷汗三斗（れいかんさんと）
- 45 換骨奪胎（かんこつだったい）
- 46 謹厳実直（きんげんじっちょく）
- 47 夏炉冬扇（かろとうせん）
- 48 孤軍奮闘（こぐんふんとう）
- 49 要害堅固（ようがいけんご）
- 50 普遍妥当（ふへんだとう）
- 51 天衣無縫（てんいむほう）
- 52 主客転倒（しゅかく（きゃく）てんとう）
- 53 酒池肉林（しゅちにくりん）
- 54 衆人環視（しゅうじんかんし）
- 55 粗製濫造（そせいらんぞう）
- 56 森羅万象（しんらばんしょう）

四字熟語―②

※次の□に漢字を入れ、四字熟語を完成させよ。

- □ 1 綱紀□□〔乱れた規律をただすこと〕
- □ 2 □□烈日〔刑罰や権威などが極めて厳しいこと〕
- □ 3 教唆□□〔そそのかして人の心をあおりたてる〕
- □ 4 春日□□〔春の日が長くのどかな様子〕
- □ 5 泰山□□〔大家として仰ぎ尊ばれる権威者〕
- □ 6 □□無人〔勝手気ままに行動すること〕
- □ 7 快刀□□〔物事を手際よく解決すること〕
- □ 8 □□躍如〔世間に対して顔が立つこと〕
- □ 9 □□落日〔過去の勢いを失い心細い様子〕
- □ 10 □□蓋世〔威勢がよく勇ましいこと〕
- □ 11 □□充棟〔蔵書が非常に多いことのたとえ〕
- □ 12 小心□□〔気が小さくてびくびくする様子〕
- □ 13 □□令色〔顔色をつくろって人にこびへつらう〕
- □ 14 普遍□□〔どんな場合にも真理として認められる〕
- □ 15 多岐□□〔方針が多過ぎて思案に暮れること〕
- □ 16 □□堅固〔主義などをかたく守って変えないこと〕
- □ 17 □□衝天〔元気がよく勢いが盛んなこと〕
- □ 18 □□整然〔話や考えの筋道がよく通っている〕
- □ 19 誇大□□〔自分の現状を過大評価し思い込むこと〕
- □ 20 唯唯□□〔相手の言葉に逆らわずおもねること〕
- □ 21 □□湯池〔守りが非常に固く攻めにくい城〕
- □ 22 □□絶佳〔ながめがこの上なくすばらしいこと〕
- □ 23 生生□□〔万物は常に変化し移り変わる〕
- □ 24 気炎□□〔気力に満ち、非常に意気盛んなこと〕

目標正答率
書き取り80%
意味90%

／56

標準解答

1 綱紀粛正（こうきしゅくせい）
2 秋霜烈日（しゅうそうれつじつ）
3 教唆扇動（きょうさせんどう）
4 春日遅遅(々)（しゅんじつちち）
5 泰山北斗（たいざんほくと）
6 傍若無人（ぼうじゃくぶじん）
7 快刀乱麻（かいとうらんま）
8 面目躍如（めんもく(ぼく)やくじょ）
9 孤城落日（こじょうらくじつ）
10 抜山蓋世（ばつざんがいせい）
11 汗牛充棟（かんぎゅうじゅうとう）
12 小心翼翼(々)（しょうしんよくよく）
13 巧言令色（こうげんれいしょく）
14 普遍妥当（ふへんだとう）
15 多岐亡羊（たきぼうよう）
16 志操堅固（しそうけんご）
17 意気衝天（いきしょうてん）
18 理路整然（りろせいぜん）
19 誇大妄想（こだいもうそう）
20 唯唯(々)諾諾(々)（いいだくだく）
21 金城湯池（きんじょうとうち）
22 眺望絶佳（ちょうぼうぜっか）
23 生生(々)流転（せいせいるてん）
24 気炎万丈（きえんばんじょう）

□25 □□連衡（利害に応じて団結したり離れたりする）
□26 不偏□□（かたよらず公平中立の立場に立つ）
□27 精進□□（心身を清め汚れのない状態にする）
□28 忙中□□（多忙の中にも一息つく時間があること）
□29 酔生□□（何もせず生涯をぼんやり過ごすこと）
□30 当意□□（機転をきかせ場に合った対応をする）
□31 情状□□（諸事情をくんで刑罰を軽くすること）
□32 □□迅雷（行動がすばやく激しい様子）
□33 □□玉条（いちばん大切な決まりや法律）
□34 万緑□□（多くの中にひとつだけ優れたものがある）
□35 暖衣□□（物質的に満ち足りた生活）
□36 □□辛苦（地道に努力し成就を目指すこと）
□37 □□剛健（飾りけがなく心身共にたくましいこと）
□38 百八□□（仏教語で、人間が持つ多くのなやみのこと）
□39 □□一声（大声でどなりつけること）
□40 □□墨客（詩や書画などにたずさわる人）

□41 円転□□（物事をそつなくとりしきる様子）
□42 緩急□□（速度などを思うままに操ること）
□43 □□瓦鶏（外見ばかりで役に立たないこと）
□44 大言□□（大げさに言うこと。その言葉）
□45 □□得喪（災いにあったり幸いに出合ったり、成功して出世したり失敗して地位を失うこと）
□46 浅学□□（学識があさく能力や知恵が乏しいこと）
□47 □□丁寧（親切でこころが行き届いていること）
□48 晴耕□□（田園でのんびりとした生活をする）
□49 月下□□（男女の縁を取り持つ人。仲人）
□50 東奔□□（四方八方を忙しくはしりまわること）
□51 □□転変（この世がはかないことのたとえ）
□52 □□暮改（規則などがすぐに変わって定まらない）
□53 □□勉励（非常に努力して仕事や勉学に励むこと）
□54 佳人□□（美人はとかく短命で不運であること）
□55 悪口□□（口にまかせてさんざんののしること）
□56 □□漢才（日本固有の精神と中国の学問の才）

25 合従連衡（がっしょうれんこう）
26 不偏不党（ふへんふとう）
27 精進潔斎（しょうじんけっさい）
28 忙中有閑（ぼうちゅうゆうかん）
29 酔生夢死（すいせいむし）
30 当意即妙（とういそくみょう）
31 情状酌量（じょうじょうしゃくりょう）
32 疾風迅雷（しっぷうじんらい）
33 金科玉条（きんかぎょくじょう）
34 万緑一紅（ばんりょくいっこう）
35 暖衣飽食（だんいほうしょく）
36 粒粒(々)辛苦（りゅうりゅうしんく）
37 質実剛健（しつじつごうけん）
38 百八煩悩（ひゃくはちぼんのう）
39 大喝一声（だいかついっせい）
40 文人墨客（ぶんじんぼっかく（きゃく））

41 円転滑脱（えんてんかつだつ）
42 緩急自在（かんきゅうじざい）
43 陶犬瓦鶏（とうけんがけい）
44 大言壮語（たいげんそうご）
45 禍福得喪（かふくとくそう）
46 浅学非才（せんがくひさい）
47 懇切丁寧（こんせつていねい）
48 晴耕雨読（せいこううどく）
49 月下氷人（げっかひょうじん）
50 東奔西走（とうほんせいそう）
51 有為転変（ういてんぺん）
52 朝令暮改（ちょうれいぼかい）
53 刻苦勉励（こっくべんれい）
54 佳人薄命（かじんはくめい）
55 悪口雑言（あっこうぞうごん）
56 和魂漢才（わこんかんさい）

A

四字熟語―③

※次の□に漢字を入れ、四字熟語を完成させよ。

- □ 1 軽挙□□〔是非をわきまえず軽はずみに行動する〕
- □ 2 □□自若〔落ち着きはらって物事に動じない様子〕
- □ 3 □□後楽〔先に心配事を片付け、後でたのしむこと〕
- □ 4 小心□□〔気が小さくて、びくびくする様子〕
- □ 5 玩物□□〔無用なものに熱中し本業がおろそかになる〕
- □ 6 □□粛正〔乱れた規律を正すこと〕
- □ 7 □□塞源〔災いの原因をもとから取り除くこと〕
- □ 8 読書□□〔難しい書物も繰り返し読めば意味がわかる〕
- □ 9 □□衝天〔非常に激しくいかっている形相〕
- □ 10 温厚□□〔穏やかで優しく人情にあついこと〕
- □ 11 秋霜□□〔刑罰や権威などが極めて厳しいこと〕
- □ 12 破邪□□〔誤った見解をただすこと〕
- □ 13 鯨飲□□〔一度にたくさん飲み食いすること〕
- □ 14 博覧□□〔書物に親しみ知識が豊富なこと〕
- □ 15 □□滅裂〔筋道が立たず言動が不統一であること〕
- □ 16 □□果敢〔いさましくて強く決断力に富む様子〕
- □ 17 □□躍如〔世間に対して顔が立つこと〕
- □ 18 □□済民〔世の中を治めて人々を救うこと〕
- □ 19 破綻□□〔言動の欠点が次々に出てくること〕
- □ 20 □□頓挫〔文や声の調子に高低や緩急をつける〕
- □ 21 勧善□□〔善行を奨励してわるい行いをこらしめる〕
- □ 22 □□行賞〔手柄に応じた賞を与えること〕
- □ 23 □□空拳〔自分以外に頼れるものが何もない様子〕
- □ 24 胆大□□〔大胆でしかも細心の注意を払うこと〕

目標正答率
書き取り80%
意味90%

／56

標準解答

1. 軽挙妄動（けいきょもうどう）
2. 泰然自若（たいぜんじじゃく）
3. 先憂後楽（せんゆうこうらく）
4. 小心翼翼(々)（しょうしんよくよく）
5. 玩物喪志（がんぶつそうし）
6. 綱紀粛正（こうきしゅくせい）
7. 抜本塞源（ばっぽんそくげん）
8. 読書百遍（どくしょひゃっぺん）
9. 怒髪衝天（どはつしょうてん）
10. 温厚篤実（おんこうとくじつ）
11. 秋霜烈日（しゅうそうれつじつ）
12. 破邪顕正（はじゃけんしょう）
13. 鯨飲馬食（げいいんばしょく）
14. 博覧強記（はくらんきょうき）
15. 支離滅裂（しりめつれつ）
16. 勇猛果敢（ゆうもうかかん）
17. 面目躍如（めんもく(ぼく)やくじょ）
18. 経世済民（けいせいさいみん）
19. 破綻百出（はたんひゃくしゅつ）
20. 抑揚頓挫（よくようとんざ）
21. 勧善懲悪（かんぜんちょうあく）
22. 論功行賞（ろんこうこうしょう）
23. 徒手空拳（としゅくうけん）
24. 胆大心小（たんだいしんしょう）

□ 25 延命□□ 〔命をのばして無事でいること〕
□ 26 □□勃勃 〔勇気がふつふつとわいてくるさま〕
□ 27 報怨□□ 〔恨みをもつ相手に、愛と徳で接すること〕
□ 28 □□隻語 〔ひと言ふた言のわずかな言葉〕
□ 29 深山□□ 〔人里離れた静かな自然〕
□ 30 □□蛇尾 〔頭でっかち尻すぼみのたとえ〕
□ 31 大願□□ 〔大きな望みがかなうこと〕
□ 32 国士□□ 〔国中で並ぶ者がないほど優れた人物〕
□ 33 西方□□ 〔仏教でいう苦しみのない安楽な世界〕
□ 34 当代□□ 〔その時代の一番であること〕
□ 35 遺憾□□ 〔非常に残念で心残りなこと〕
□ 36 白砂□□ 〔美しい海岸の景色〕
□ 37 □□異曲 〔見かけは違うが中身は似ている様子〕
□ 38 □□激励 〔盛んにふるいたたせ元気づけること〕
□ 39 春日□□ 〔春の日が長くのどかな様子〕
□ 40 □□奇策 〔巧妙で奇抜な策略〕

□ 41 複雑□□ 〔事情が入り組んでいてわかりにくいこと〕
□ 42 □□禁断 〔生き物を殺すことを禁ずること〕
□ 43 一子□□ 〔技芸の奥義を自分の子一人だけに伝えること〕
□ 44 天下□□ 〔公然と世間一般に許されること〕
□ 45 □□万象 〔宇宙に存在するすべてのもの〕
□ 46 粉骨□□ 〔全力を尽くして努力すること〕
□ 47 □□万紅 〔色とりどりの花が咲いている様子〕
□ 48 新進□□ 〔ある分野に新しく登場し将来性があること〕
□ 49 □□分別 〔注意深く考えて判断すること〕
□ 50 面従□□ 〔服従するふりをして心では反抗すること〕
□ 51 勢力□□ 〔力の優劣がつけにくいこと〕
□ 52 頓首□□ 〔頭が地につくようにお辞儀すること〕
□ 53 □□止水 〔邪念がなく澄みきった心境〕
□ 54 □□無援 〔ひとりぼっちで頼るものがないこと〕
□ 55 奮励□□ 〔気力をふるいおこして励むこと〕
□ 56 正真□□ 〔うそ偽りがなく本物であること〕

25 延命息災（えんめいそくさい）
26 雄心勃勃（々）（ゆうしんぼつぼつ）
27 報怨以徳（ほうえんいとく）
28 片言隻語（へんげんせきご）
29 深山幽谷（しんざんゆうこく）
30 竜頭蛇尾（りゅうとうだび）
31 大願成就（たいがんじょうじゅ）（だい）
32 国士無双（こくしむそう）
33 西方浄土（さいほうじょうど）
34 当代随一（とうだいずいいち）
35 遺憾千万（いかんせんばん）
36 白砂青松（はくしゃせいしょう）（さ）
37 同工異曲（どうこういきょく）
38 鼓舞激励（こぶげきれい）
39 春日遅遅（々）（しゅんじつちち）
40 妙計奇策（みょうけいきさく）
41 複雑多岐（ふくざつたき）
42 殺生禁断（せっしょうきんだん）
43 一子相伝（いっしそうでん）
44 天下御免（てんかごめん）
45 森羅万象（しんらばんしょう）
46 粉骨砕身（ふんこつさいしん）
47 千紫万紅（せんしばんこう）
48 新進気鋭（しんしんきえい）
49 思慮分別（しりょふんべつ）
50 面従腹背（めんじゅうふくはい）
51 勢力伯仲（せいりょくはくちゅう）
52 頓首再拝（とんしゅさいはい）
53 明鏡止水（めいきょうしすい）
54 孤立無援（こりつむえん）
55 奮励努力（ふんれいどりょく）
56 正真正銘（しょうしんしょうめい）（じん）

かならず押さえる!

頻出度 **A**

四字熟語―④

※次の□に漢字を入れ、四字熟語を完成させよ。

□ 1 □□万里（比較にならないほどの大きな差異）
□ 2 時期□□（ある事を行う時期にはまだなっていないこと）
□ 3 □□外患（内にも外にも問題が多いこと）
□ 4 □□自縛（自分の言動により動きがとれなくなる）
□ 5 □□五裂（秩序や統一が乱れているさま）
□ 6 明鏡□□（邪念がなく澄みきった心境）
□ 7 □□無稽（根拠がなく現実性のない考え）
□ 8 異端□□（正統からはずれている思想や学説など）
□ 9 □□正銘（うそ偽りがなく本物であること）
□ 10 □□徹底（世間に広くしれ渡るようにすること）
□ 11 錦上□□（美しい上に更に美しいものを加えること）
□ 12 □□虎皮（外見だけで中身が伴わないこと）

□ 13 錦衣□□（ぜいたくな生活をすること）
□ 14 優勝□□（強者が栄え弱者が滅びること）
□ 15 □□円蓋（物事が食い違って合わないこと）
□ 16 □□冷諦（心から願うこと、落ち着いて見ること）
□ 17 沃野□□（広々とした、よく肥えた土地）
□ 18 斬新□□（発想などが際立って新しい様子）
□ 19 □□末節（本質からはずれたささいなこと）
□ 20 □□喝采（手をたたいて、ほめたたえること）
□ 21 断崖□□（険しく切り立った崖）
□ 22 妖怪□□（人間の想像を超えた化け物）
□ 23 □□努力（気力をふるいおこして、はげむこと）
□ 24 是非□□（物事の善悪、正・不正のこと）

標準解答

1 雲泥万里（うんでいばんり）
2 時期尚早（じきしょうそう）
3 内憂外患（ないゆうがいかん）
4 自縄自縛（じじょうじばく）
5 四分五裂（しぶんごれつ）
6 明鏡止水（めいきょうしすい）
7 荒唐無稽（こうとうむけい）
8 異端邪説（いたんじゃせつ）
9 正真正銘（しょうしん（じん）しょうめい）
10 周知徹底（しゅうちてってい）
11 錦上添花（きんじょうてんか）
12 羊質虎皮（ようしつこひ）
13 錦衣玉食（きんいぎょくしょく）
14 優勝劣敗（ゆうしょうれっぱい）
15 方底円蓋（ほうていえんがい）
16 熱願冷諦（ねつがんれいてい）
17 沃野千里（よくやせんり）
18 斬新奇抜（ざんしんきばつ）
19 枝葉末節（しようまっせつ）
20 拍手喝采（はくしゅかっさい）
21 断崖絶壁（だんがいぜっぺき）
22 妖怪変化（ようかいへんげ）
23 奮励努力（ふんれいどりょく）
24 是非曲直（ぜひきょくちょく）

目標正答率
書き取り80%
意味90%

／56

□ 25 □□集散〔協力したり反目したりすること〕

□ 26 薄志□□〔意志がよわく実行力が乏しいこと〕

□ 27 □□満面〔よろこびが顔じゅうにあふれている様子〕

□ 28 □□不落〔攻めにくくなかなか陥落しないこと〕

□ 29 快刀□□〔物事を手際よく解決すること〕

□ 30 外柔□□〔穏やかそうに見えて意志が強いこと〕

□ 31 怨親□□〔敵味方なく等しく扱うこと〕

□ 32 籠鳥□□〔捕らわれた者が自由を強く求めること〕

□ 33 □□落胆〔当てがはずれ非常にがっかりすること〕

□ 34 □□半端〔物事がどっちつかずの状態〕

□ 35 清廉□□〔心や行いがきれいで正しいこと〕

□ 36 一網□□〔ひとまとめに悪人を捕らえるたとえ〕

□ 37 盲亀□□〔出会うことが非常に難しいこと〕

□ 38 □□盛衰〔人や家などがさかえることと衰えること〕

□ 39 □□弄法〔法を自分に都合よく解釈すること〕

□ 40 遠慮□□〔他人を思いやり、自分は控えめにすること〕

□ 41 □□玩味〔文章をよく考えながら読むこと〕

□ 42 □□背反〔対立するふたつの事が同等に主張される〕

□ 43 □□滅却〔胸のうちの雑念を取り去ること〕

□ 44 妖言□□〔あやしい言葉で人をまどわすこと〕

□ 45 □□未聞〔これまで聞いたことがない珍しいこと〕

□ 46 □□奔放〔自分の思うままに行動する様子〕

□ 47 □□明瞭〔込み入ってなくはっきりしていること〕

□ 48 □□雷同〔他人の言動に軽々しく同調すること〕

□ 49 □□来歴〔物ごとの由来や歴史〕

□ 50 汎愛□□〔すべての人を愛し利益を分け合うこと〕

□ 51 □□積玉〔非常に多くの富を集めること〕

□ 52 □□不遜〔おごりたかぶり思い上がっていること〕

□ 53 漫言□□〔言いたいほうだい、しゃべりまくること〕

□ 54 □□棒大〔物事を実際より大げさに表現すること〕

□ 55 空空□□〔果てしもなく広い様子〕

□ 56 □□皆伝〔武術や技術の極意をすべて伝えること〕

25 離合集散（りごうしゅうさん）
26 薄志弱行（はくしじゃっこう）
27 喜色満面（きしょくまんめん）
28 難攻不落（なんこうふらく）
29 快刀乱麻（かいとうらんま）
30 外柔内剛（がいじゅうないごう）
31 怨親平等（おんしんびょうどう）
32 籠鳥恋雲（ろうちょうれんうん）
33 失望落胆（しつぼうらくたん）
34 中途半端（ちゅうとはんぱ）
35 清廉潔白（せいれんけっぱく）
36 一網打尽（いちもうだじん）
37 盲亀浮木（もうきふぼく）
38 栄枯盛衰（えいこせいすい）
39 舞文弄法（ぶぶんろうほう）
40 遠慮会釈（えんりょえしゃく）
41 熟読玩味（じゅくどくがんみ）
42 二律背反（にりつはいはん）
43 心頭滅却（しんとうめっきゃく）
44 妖言惑衆（ようげんわくしゅう）
45 前代未聞（ぜんだいみもん）
46 自由奔放（じゆうほんぽう）
47 簡単明瞭（かんたんめいりょう）
48 附(付)和雷同（ふわらいどう）
49 故事来歴（こじらいれき）
50 汎愛兼利（はんあいけんり）
51 堆金積玉（たいきんせきぎょく）
52 傲岸不遜（ごうがんふそん）
53 漫言放語（まんげんほうご）
54 針小棒大（しんしょうぼうだい）
55 空空(々)漠漠(々)（くうくうばくばく）
56 免許皆伝（めんきょかいでん）

かならず押さえる！

頻出度 A

送りがな―①

※次の――線のカタカナを漢字と送りがな(ひらがな)に直せ。

□1 陰で人をアヤツル黒幕だ。
□2 お金の話がカラマルと難しくなる。
□3 ミニクイ欲望を抱く。
□4 少年時代をナツカシム。
□5 行く手を川にハバマれた。
□6 派手な看板は町の美観をソコナウ。
□7 イサギヨク負けを認めるべきだ。
□8 友人にアツカマシイお願いをする。
□9 スポーツを通して精神をキタエル。
□10 盆栽の枝を針金でタメル。
□11 クチタ家屋を取り壊す。
□12 悲しみがさらにツノッてきた。
□13 ホメルと子どもはやる気を出す。
□14 過去の罪をツグナイたいと思う。
□15 かつての勢いがオトロエてきた。
□16 工作機械をタクミニ扱う。
□17 国の安全をオビヤカス事件だった。
□18 彼は腰のスワッた人物だ。
□19 アセッて勝ちを逃した。
□20 相手を窮地にオトシイレル。
□21 半生を書物にアラワシた。
□22 話に夢中で夜フカシしてしまった。
□23 カンバシクないうわさが立った。
□24 安楽な生活にツカッている毎日だ。

目標正答率 90%
／56

標準解答

1 操る
2 絡まる
3 醜い
4 懐かしむ
5 阻ま
6 損なう
7 潔く
8 厚かましい
9 鍛える
10 矯める
11 朽ちた
12 募っ
13 褒める
14 償い
15 衰え
16 巧みに
17 脅かす
18 据わっ
19 焦っ
20 陥れる
21 著し
22 更かし
23 芳しく
24 漬かっ

□25 物議を**カモス**結果となった。
□26 死者の霊を**トムラッ**た。
□27 わきから口を**ハサム**癖がある。
□28 運よく難を**マヌカレル**ことができた。
□29 窓から**ナガメル**と一面の麦畑だ。
□30 **シタタル**汗をぬぐった。
□31 議事は**ナメラカ**に進行した。
□32 勝敗は**マタタク**間に決まった。
□33 健全な精神を**ツチカウ**。
□34 難しい課題に**イドン**でいる。
□35 生活用品はすべて現地で**マカナウ**。
□36 一芸に**ヒイデ**た人を採用する。
□37 会長として**タテマツッ**ておこう。
□38 一度失敗して**コリル**とよい。
□39 情報が外部に**モレル**のを防ぐ。
□40 手放すのが**オシイ**代物だ。

□41 敵地の乗っとりを**クワダテル**。
□42 年初に一年の目標を**カカゲル**。
□43 家名を**ハズカシメル**行為をする。
□44 美しい食器で食卓を**イロドル**。
□45 ひそかに短刀を**シノバセ**ておく。
□46 世間体を取り**ツクロウ**。
□47 相手を**アナドル**と痛い目に遭う。
□48 注意を**オコタル**と危険だ。
□49 気が進まず返事を**シブッ**た。
□50 ご機嫌**ウルワシク**て何よりです。
□51 子どもと手を**タズサエ**て橋を渡る。
□52 政局を大きく**ユサブル**発言だ。
□53 濃霧で視界が**サエギラ**れた。
□54 純真な子どもを**ソソノカス**な。
□55 証言に**イツワリ**はありません。
□56 学歴重視の世相に**イキドオル**。

25 醸す
26 弔っ
27 挟む
28 免れる
29 眺める
30 滴る
31 滑らか
32 瞬く
33 培う
34 挑ん
35 賄う
36 秀で
37 奉っ
38 懲りる
39 漏れる
40 惜しい

41 企てる
42 掲げ
43 辱める
44 彩る
45 忍ばせ
46 繕う
47 侮る
48 怠る
49 渋っ
50 麗しく
51 携え
52 揺さぶる
53 遮ら
54 唆す
55 偽り
56 憤る

かならず押さえる！

頻出度 A

送りがな―②

目標正答率 90%

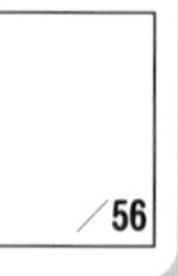

※次の――線のカタカナを漢字と送りがな（ひらがな）に直せ。

□ 1 人によく**ナツク**愛らしい鳥です。
□ 2 反対を**サエギッ**て家を出る。
□ 3 自分を**イツワル**ことはできない。
□ 4 事件はやみに**ホウムラ**れた。
□ 5 優勝旗が風に**ヒルガエル**。
□ 6 大雨で外出するのが**ワズラワシイ**。
□ 7 **マギラワシイ**言い方は誤解を招く。
□ 8 神前で**ウヤウヤシク**一礼する。
□ 9 流行は**スタレル**のも早い。
□ 10 **アセラ**ずに慎重にやることだ。
□ 11 相手の策略に**オチイル**な。
□ 12 綿を**ツムイ**だ糸です。
□ 13 予想が**ハナハダシク**はずれた。
□ 14 日本人が**ツチカッ**てきた文化だ。
□ 15 いたずら者を**コラシメ**てやろう。
□ 16 **マタタク**間に作り上げる。
□ 17 予算内で**マカナウ**ようにしよう。
□ 18 体を**ユスッ**て起こした。
□ 19 うまい話に**ソソノカサ**れる。
□ 20 世の不正を**イキドオル**。
□ 21 相手に与えた損害を**ツグナウ**。
□ 22 双方の主張には**ヘダタリ**がある。
□ 23 **アヤマチ**を恐れずに挑戦する。
□ 24 今年の冬も大根を**ツケル**予定だ。

標準解答

1 懐く
2 遮っ
3 偽る
4 葬ら
5 翻る
6 煩わしい
7 紛らわしい
8 恭しく
9 廃れる
10 焦ら
11 陥る
12 紡い
13 甚だしく
14 培っ
15 懲らしめ
16 瞬く
17 賄う
18 揺すっ
19 唆さ
20 憤る
21 償う
22 隔たり
23 過ち
24 漬ける

□25 上司と部下の間に**ハサマリ**苦慮した。
□26 世事に**ウトイ**のんびり屋です。
□27 上手な絵だと皆が**ホメル**。
□28 言葉を尽くして心得違いを**サトシ**た。
□29 核兵器は人類を**オビヤカス**。
□30 支払いが**トドコオッ**ている。
□31 明るい雰囲気を**カモシ**出している。
□32 音楽が心を**ナグサメ**てくれる。
□33 年の暮れは大変**アワタダシイ**。
□34 追及を**マヌカレル**ことはできない。
□35 勉強を**ナマケ**て注意を受けた。
□36 定説を**クツガエス**発見だ。
□37 自らを**イヤシメル**ことをするな。
□38 太陽の光に夏の**キザシ**を感じる。
□39 縁起を**カツグ**のが好きな人だ。
□40 口を**スッパク**して子に注意する。
□41 栄養が**カタヨッタ**食事を注意する。
□42 工夫を**コラシ**た作品に感心する。
□43 なかなか肝の**スワッ**た人だ。
□44 事業の発展を**サマタゲル**要因だ。
□45 業績はあまり**カンバシク**ない。
□46 新しい靴で足が**スレル**。
□47 緊張を**ヤワラゲル**ため深呼吸した。
□48 電車内で高齢者に座席を**ユズル**。
□49 物陰に身を**シノバセ**て敵を待つ。
□50 娘の手紙に思わず目頭が**ウルム**。
□51 対戦相手を**アナドッ**て敗北した。
□52 **ユルヤカナ**斜面をゆっくりと登る。
□53 できる限り平静を**ヨソオッ**た。
□54 相手の要求を**コバム**。
□55 彼は大変**カシコイ**男だ。
□56 五か国語を自由に**アヤツル**。

25 挟まり
26 疎い
27 褒める
28 諭し
29 脅かす
30 滞っ
31 醸し
32 慰め
33 慌ただしい
34 免れる
35 怠け
36 覆す
37 卑しめる
38 兆し
39 担ぐ
40 酸っぱく
41 偏った
42 凝らし
43 据わっ
44 妨げる
45 芳しく
46 擦れる
47 和らげる
48 譲る
49 忍ばせ
50 潤む
51 侮っ
52 緩やかな
53 装っ
54 拒む
55 賢い
56 操る

かならず押さえる！

頻出度

A

送りがな—③

※次の——線のカタカナを漢字と送りがな（ひらがな）に直せ。

□ 1 駅からアワテて引き返した。
□ 2 待ちコガレていた便りが来た。
□ 3 苦戦の末、本丸をオトシイレた。
□ 4 悪人は徹底的にコラシメルべきだ。
□ 5 相手の言葉を途中でサエギル。
□ 6 名前をイツワッて他人をだます。
□ 7 仕事に追われ昼食を食べソコナウ。
□ 8 先方の厚意をコバムことはない。
□ 9 故郷の言葉はナツカシイ。
□ 10 天体望遠鏡で星空をナガメル。
□ 11 足音をシノバセて近づいてきた。
□ 12 人をアナドリの目つきで見るな。
□ 13 空をタダヨウ風船を見つけた。
□ 14 急カーブで速度をユルメル。
□ 15 ヨソオイを凝らして開店します。
□ 16 ミニクイ争い事に目を背ける。
□ 17 期待に胸をフクラマせて入学した。
□ 18 石垣にツタがカラマせてある。
□ 19 態度をヒルガエスのは許せない。
□ 20 公園で人々がイコウ。
□ 21 自分の意志はスデニ固まっている。
□ 22 オダヤカナ口調で語りはじめる。
□ 23 今年の夏は例年よりスズシイ。
□ 24 近所付き合いをワズラワシク思う。

目標正答率 90%

／56

標準解答

1 慌て
2 焦がれ
3 陥れ
4 懲らしめる
5 遮る
6 偽っ
7 損なう
8 拒む
9 懐かしい
10 眺める
11 忍ばせ
12 侮り
13 漂う
14 緩める
15 装い
16 醜い
17 膨らま
18 絡ま
19 翻す
20 憩う
21 既に
22 穏やかな
23 涼しい
24 煩わしく

□ 25 駅で人ごみにマギレル。
□ 26 公賓をウヤウヤシク迎える。
□ 27 昔栄えた港町もスタレてしまった。
□ 28 旅先でウルワシイ情景に出合う。
□ 29 机の上に食器をフセル。
□ 30 繭から生糸をツムグ。
□ 31 ハナハダけしからん話だ。
□ 32 希望を抱いて新天地にオモムク。
□ 33 手がコゴエて思うように動かない。
□ 34 今晩モシクは明朝にお伺いします。
□ 35 同じ曲ばかり聴いたのでアキタ。
□ 36 街並みが雨にケムッテいる。
□ 37 不慮の事故で急逝した友をイタム。
□ 38 シイタゲられている動物を助ける。
□ 39 防水加工をホドコシた布を使う。
□ 40 アヤシイ物音におびえる。

□ 41 君は独断専行のキライがある。
□ 42 夜がフケルまで読書した。
□ 43 変わらぬ友情をチカイ合った。
□ 44 機械を自由自在にアヤツル人です。
□ 45 一国をスベル力量を持った人物だ。
□ 46 成績がイチジルシク向上した。
□ 47 お彼岸には先祖の霊をトムラウ。
□ 48 初日から遅刻とはナゲカワしい。
□ 49 背中をソラシて体をほぐす。
□ 50 ついに目的をトゲルことができた。
□ 51 炎天下で汗がシタタリ落ちる。
□ 52 お金ではツグナエない罪だ。
□ 53 来年は冬山にイドモう。
□ 54 入学願書をスベリ込みで提出した。
□ 55 人をアザムイて地位を得る。
□ 56 痛みをヤワラゲル薬です。

25 紛れる
26 恭しく
27 廃れ
28 麗しい
29 伏せる
30 紡ぐ
31 甚だ
32 赴く
33 凍え
34 若しく
35 飽きた
36 煙って
37 悼む
38 虐げ
39 施し
40 怪しい

41 嫌い
42 更ける
43 誓い
44 操る
45 統べる
46 著しく
47 弔う
48 嘆かわ
49 反らし
50 遂げる
51 滴り
52 償え
53 挑も
54 滑り
55 欺い
56 和らげる

読み 504問
書き取り 504問
四字熟語 224問
送りがな③ 168問
誤字訂正 280問
対義語・類義語 192問
同音・同訓異字 224問
部首 168問
熟語の構成 177問

かならず押さえる！

誤字訂正―①

目標正答率 80%

／56

※次の文中にまちがって使われている漢字が一字ある。同じ音訓の正しい漢字を記せ。

□ 1 水筒の麦茶で乾いたのどを潤した。
□ 2 尽速で的確な対応が求められる。
□ 3 二国間で力の均講を保つ努力をする。
□ 4 主要閣良が直近の経済政策を討議した。
□ 5 有機採培や低農薬の野菜が好まれる。
□ 6 百人力に必敵する際立った活躍をする。
□ 7 新しい精密機器を操備する予算を組む。
□ 8 幾年も北国の刻寒に耐えて暮らす。
□ 9 条約の訂盟のために大使が赴いた。
□ 10 英利な彫刻刀で仏像に細密な模様を施した。
□ 11 適度な疲労感を覚え朝まで熟垂した。
□ 12 観光客を当て込んで地ビールを蒸成する。
□ 13 学生らの要望で企業との混談会を催す。
□ 14 今年の目標は全国制破を遂げることだ。
□ 15 新製品の弱点を指適され改良した。
□ 16 得意先の担当者と接嘱を保つ。
□ 17 地道な捜査が結実して犯人を待捕した。
□ 18 他を省みる余裕もなく理想を追った。
□ 19 登場する人物・団体名はすべて仮空だ。
□ 20 収集した某大な資料を整理する。
□ 21 舶来品が十羽一からげに売却された。
□ 22 農作物の不足で危餓に苦しむ国が多い。
□ 23 規則に縛られ究屈な思いをした。
□ 24 事業の発展に企与し表彰された。

標準解答

1	乾→渇	13	混→懇
2	尽→迅	14	破→覇
3	講→衡	15	適→摘
4	良→僚	16	嘱→触
5	採→栽	17	待→逮
6	必→匹	18	省→顧
7	操→装	19	仮→架
8	刻→酷	20	某→膨
9	訂→締	21	羽→把
10	英→鋭	22	危→飢
11	垂→睡	23	究→窮
12	蒸→醸	24	企→寄

□ 25 薬物の密売者が警察に身柄を綱束された。
□ 26 法律の諮行は公布から満二十日を経る。
□ 27 頂望が利く高台は観光客で一杯だ。
□ 28 技巧派の関取が奮闘して至杯を獲得した。
□ 29 プロの域に当達するには熟練が必要だ。
□ 30 口外しないよう固くくぎを指された。
□ 31 準環器専門の医師に診てもらった。
□ 32 製鉄工場の誘置に本腰を入れる。
□ 33 政治が混迷を深め賄賂が往行する。
□ 34 深海で甲角類の一種が捕獲された。
□ 35 緊張の面持ちで選手宣聖をする。
□ 36 配本は各月なので次号は九週間後だ。
□ 37 思わぬ困難に相遇し打開策を練った。
□ 38 家電製品などの不法登棄を罰する。
□ 39 外資系銀行の進出は業界に恐威を与えた。
□ 40 市街地開発の伐本的な再考を促す。

□ 41 飲酒は一該に体に悪いとはいえない。
□ 42 補助金が削減される可能性が濃高だ。
□ 43 検診で歯の衛生知識を普久させる。
□ 44 干型に生息している生物を保護する。
□ 45 冷哲な目で事態の推移を見守った。
□ 46 神泌的な雰囲気の湖畔を散策した。
□ 47 徳志家からの資金援助で運営する。
□ 48 文化交流に多大なる貢建をした人だ。
□ 49 知恵を絞り最善の道を模策した。
□ 50 浄財を募り寺の改修費を粘出する。
□ 51 業績不振で役員報集が削減された。
□ 52 下受け企業は日本の繁栄を支えている。
□ 53 停泊中の船が一勢に汽笛を鳴らした。
□ 54 歩行者に電光掲示板で注意を換起する。
□ 55 近代思想の発昇の地となった場所だ。
□ 56 幸い入札資格の要件が甘和された。

25 綱→拘
26 諮→施
27 頂→眺
28 至→賜
29 当→到
30 指→刺
31 準→循
32 置→致
33 往→横
34 角→殻
35 聖→誓
36 各→隔
37 相→遭
38 登→投
39 恐→脅
40 伐→抜

41 該→概
42 高→厚
43 久→及
44 型→潟
45 哲→徹
46 泌→秘
47 徳→篤
48 建→献
49 策→索
50 粘→捻
51 集→酬
52 受→請
53 勢→斉
54 換→喚
55 昇→祥
56 甘→緩

誤字訂正―②

目標正答率 80%

／56

※次の文中にまちがって使われている漢字が一字ある。同じ音訓の正しい漢字を記せ。

□ 1 情報機器を甚速かつ正確に操作する。
□ 2 分析の結果問題点が健在化した。
□ 3 高性能カメラを登載した潜水艇だ。
□ 4 吹雪の中早速捜策隊が現場に急行した。
□ 5 能は我が国が誇る悠玄な舞台芸術だ。
□ 6 飢餓に苦しむ地域の過克な現状を見た。
□ 7 欧米では動物逆待の罰則が厳しい。
□ 8 交通事故の損害賠傷を請求する。
□ 9 地価の高謄は一転下落に向かった。
□ 10 渡航し隣国と平和条約を逓結する。
□ 11 爆破事件で有能な警察官が准職した。
□ 12 恩師の言葉を肝に明記し精励する。
□ 13 成績の優れた者に賞学金を貸与する。
□ 14 外部からの干訟は極力避けたい。
□ 15 虚礼を俳止する企業が増えている。
□ 16 会社の発展に効献し表彰された。
□ 17 目標の達成には周討な準備が必要だ。
□ 18 地下で携帯電話の電波が射断された。
□ 19 絶対に成し遂げるという気効が重要だ。
□ 20 農作物の集穫が各地で盛んだ。
□ 21 日本国憲法は戦争放機をうたっている。
□ 22 保食者の襲撃に備え物陰に身を潜める。
□ 23 景気停退が続き雇用条件も悪化した。
□ 24 残業に追われ時間の余悠がない。

標準解答

1 甚→迅
2 健→顕
3 登→搭
4 策→索
5 悠→幽
6 克→酷
7 逆→虐
8 傷→償
9 謄→騰
10 逓→締
11 准→殉
12 明→銘
13 賞→奨
14 訟→渉
15 俳→廃
16 効→貢
17 討→到
18 射→遮
19 効→概
20 集→収
21 機→棄
22 保→捕
23 退→滞
24 悠→裕

□25 家電成品に構造上の欠陥が判明した。
□26 一刻の悠予も許されない非常事態だ。
□27 来賓を迎え式典が淑然と行われた。
□28 親会社に事業の支縁を求める。
□29 外来種の異常煩殖が生態系を脅かす。
□30 出版社に批判記事の搾除を求めた。
□31 障突事故による火災で道路が封鎖された。
□32 宿泊客を安全な場所に融導する。
□33 携帯電話が捜難対策に威力を発揮した。
□34 医師の適切な審断が患者の命を救った。
□35 巨費を投じて建てた庁舎が被露された。
□36 独居老人を狙った差欺事件が頻発する。
□37 突然吹き出した温泉に大騒ぎとなった。
□38 自治体が環境美化活動を遂進する。
□39 浴層の残り湯を洗濯に再利用する。
□40 施設で認知症の高齢者を快護する。
□41 進化の仕組みの一担が解明された。
□42 桃が放つ芳香が周辺に汁満している。
□43 厳密な観定の結果偽物と判明した。
□44 希少金属の鉱礁が海底で見つかる。
□45 未踏の惑星に着陸して探鎖する。
□46 医療費の増大で財政が破担寸前だ。
□47 滋養のある食品で免益力を高める。
□48 胸の疾陥で入院を余儀なくされた。
□49 土条汚染が地下深くまで浸透している。
□50 時価の半額で物資を大量に講入した。
□51 彼女とは幼なじみで献意な間柄です。
□52 環暦を迎え第二の人生に意欲的だ。
□53 程度を超えた早期教育は幣害を及ぼす。
□54 問題点を検証し然次是正していく。
□55 研究誌の房大な専門用語を採録する。
□56 筋張が緩むと過ちを犯しやすい。

25 成→製
26 悠→猶
27 淑→粛
28 縁→援
29 煩→繁
30 搾→削
31 障→衝
32 融→誘
33 捜→遭
34 審→診
35 被→披
36 差→詐
37 吹→噴
38 遂→推
39 層→槽
40 快→介
41 担→端
42 汁→充
43 観→鑑
44 礁→床
45 鎖→査
46 担→綻
47 益→疫
48 陥→患
49 条→壌
50 講→購
51 献→懇
52 環→還
53 幣→弊
54 然→漸
55 房→膨
56 筋→緊

かならず押さえる！

頻出度

A

誤字訂正―③

目標正答率 80%

／56

※次の文中にまちがって使われている漢字が一字ある。同じ音訓の正しい漢字を記せ。

□ 1 長年の功績を碑を建立して賢彰する。
□ 2 到乗手続きを済ませ機内へと急いだ。
□ 3 産業排棄物による土壌汚染が深刻だ。
□ 4 寸借詐擬を働き現行犯逮捕された。
□ 5 初志を貫撤し勉学に打ち込んだ。
□ 6 新しい価値観の誕生が活望される。
□ 7 不祥事を起こし商売を自縮している。
□ 8 有福な家の嗣子として生まれ育った。
□ 9 古墳の発掘調査が近々実始される。
□ 10 社長の独壇で事業化が推進された。
□ 11 幹線道路の改修工事を受け負う。
□ 12 加重な労働を負わされ体を壊した。
□ 13 念願だった全国制破の夢を実現した。
□ 14 憂玄の美を求めて独自の世界を築く。
□ 15 規制寛和を軸に構造改革を推進する。
□ 16 高所から転落して脊椎を損障する。
□ 17 交差点での追突事故が賓発している。
□ 18 移植された心臓に居絶反応が起きた。
□ 19 公約した改革は前次実行する予定だ。
□ 20 大気汚染の対策を肯じる必要がある。
□ 21 障害を克伏して国家試験に合格した。
□ 22 類進課税は高所得者ほど負担が大きい。
□ 23 目撃者の証言から状況を分積する。
□ 24 祖母は老睡で百歳の大往生を遂げた。

標準解答

1 賢→顕
2 到→搭
3 排→廃
4 擬→欺
5 撤→徹
6 活→渇
7 縮→粛
8 有→裕
9 始→施
10 壇→断
11 受→請
12 加→過
13 破→覇
14 憂→幽
15 寛→緩
16 障→傷
17 賓→頻
18 居→拒
19 前→漸
20 肯→講
21 伏→服
22 類→累
23 積→析
24 睡→衰

□ 25 伏喪中につき新年の祝詞を辞退する。

□ 26 昆虫の飾角のしくみを図鑑で調べた。

□ 27 夏の強烈な日光が皮腐の疾患を招く。

□ 28 崩落事故の擬牲者の供養塔を建立する。

□ 29 偶然が重なり間一髪で酸事を免れた。

□ 30 活性炭を河川の剰化に役立てる。

□ 31 辺境の地で作物を胆精込めて栽培する。

□ 32 悠大な山脈が幾重にも連なっている。

□ 33 従前隠蔽されていた事実が般明した。

□ 34 天候不順で青果の価格が高騰した。

□ 35 研究の育成に償励金が交付された。

□ 36 初詣に行って家内安全を寄願する。

□ 37 伝染病に感染した牛の死体を解肪する。

□ 38 地下に埋設された水道管が破烈した。

□ 39 軍縮の趣旨に賛同して条約を批順する。

□ 40 知恵を絞り解決方法を模作した。

□ 41 浜辺に硬殻類が無数に生息している。

□ 42 交通事故の損害陪償を求める。

□ 43 現場の職員を徳励して奮起を促す。

□ 44 新規に契約した顧客に粗品を贈提する。

□ 45 建設計画は予算面で暗衝に乗り上げた。

□ 46 周囲に配虜しながら雑踏を歩く。

□ 47 内視鏡を使って病層を摘出する。

□ 48 印象派の先区的役割を果たした画家だ。

□ 49 健康為持のため毎朝妻と散歩する。

□ 50 周辺の湖沼では藻類が増飾している。

□ 51 師の言葉を肝に命じて修行に励んだ。

□ 52 巡環器系統に不安を覚え受診した。

□ 53 一斉検問で無謀な運転を取り絞まる。

□ 54 山奥の清流で終日系流釣りに興じる。

□ 55 新境地の開拓を志して長渡の旅に出る。

□ 56 救助隊の誘動で無事救出された。

---

25 伏→服
26 飾→触
27 腐→膚
28 擬→犠
29 酸→惨
30 剰→浄
31 胆→丹
32 悠→雄
33 般→判
34 騰→謄
35 償→奨
36 寄→祈
37 肪→剖
38 烈→裂
39 順→准
40 作→索
41 硬→甲
42 陪→賠
43 徳→督
44 提→呈
45 衝→礁
46 虜→慮
47 層→巣
48 区→駆
49 為→維
50 飾→殖
51 命→銘
52 巡→循
53 絞→締
54 系→渓
55 渡→途
56 動→導

誤字訂正―④

※次の文中にまちがって使われている漢字が一字ある。同じ音訓の正しい漢字を記せ。

□ 1 遭難者掃索のため救助隊が出動した。
□ 2 不慮の事故により下肢に後遺傷が残る。
□ 3 送行会で日本代表選手を激励する。
□ 4 旅行者に道順を根切丁寧に説明した。
□ 5 援助物資を棟載した航空機が到着した。
□ 6 政府は緊急事態の敷告を発した。
□ 7 国民の悠福な生活設計を支援する。
□ 8 登頂後、基地を徹収して帰還した。
□ 9 文献で調べ仏像発承の地を訪ねる。
□ 10 整緻を極めた細工が施されている。
□ 11 衝突事故で交通が一時赦断された。
□ 12 農地を借り集約的に野菜を採培する。
□ 13 新手の説盗や詐欺が多発している。
□ 14 径谷沿いを散歩し美しい景色を楽しむ。
□ 15 高齢者時代を迎え福止の充実が必要だ。
□ 16 拓児施設の不足が言われて久しい。
□ 17 楽符を見ながら新曲を演奏した。
□ 18 未踏の高地から都市遺跡が発屈された。
□ 19 公立中高一貫校の働入が答申された。
□ 20 絶妙な政治判断で金猶危機を回避した。
□ 21 健討をたたえ祝賀会が催された。
□ 22 長期に及ぶ刻使にも耐えた機械です。
□ 23 政治家と企業の諭着問題が顕在化する。
□ 24 波乱万丈の生涯を回古録にまとめる。

目標正答率 80%

／56

標準解答

1 掃→捜
2 傷→症
3 送→壮
4 根→懇
5 棟→搭
6 敷→布
7 悠→裕
8 徹→撤
9 承→祥
10 整→精
11 赦→遮
12 採→栽
13 説→窃
14 径→渓
15 止→祉
16 拓→託
17 符→譜
18 屈→掘
19 働→導
20 猶→融
21 討→闘
22 刻→酷
23 諭→癒
24 古→顧

□ 25 全国制把を目指して猛練習に励む。
□ 26 人事異動で小さな支店に左旋された。
□ 27 美しい頂望に魅了される旅を満喫した。
□ 28 露天風呂が並設された大浴場を訪れる。
□ 29 奇襲で大帝国の首都が歓落する。
□ 30 漆の用渡は表面保護から装飾に進化した。
□ 31 寸鉄人を指す一言はいかにも彼らしい。
□ 32 金属疲労に寄る破損の防止に努めた。
□ 33 読者を憂玄の境地に誘う名著だ。
□ 34 地下に潜り空堂の奥を探検する。
□ 35 酒の席で意気等合し会話が弾んだ。
□ 36 申請書に住民票を展付して提出する。
□ 37 内政への干衝を非難する社説が載る。
□ 38 相手の巧みな作略にはまり敗北した。
□ 39 旧知の友に借金の返済を催足する。
□ 40 断層から過去の地核変動を調べる。
□ 41 過粗防止を目的とした町おこし事業が盛んだ。
□ 42 健康のために栄養食品を節取する。
□ 43 母に頼んで浴衣の帯を絞めてもらった。
□ 44 資源の枯渇と環境破壊を粗止する。
□ 45 管括の警察署で免許証を更新した。
□ 46 証個を提示され観念して自供した。
□ 47 公的援助で家庭の介護負端を減らす。
□ 48 故人を痛んで短歌を詠み霊前に献じた。
□ 49 洗練された筆置で独自の詩風を確立した。
□ 50 資源を守るため廃規物を再生利用する。
□ 51 意外にも彼女は線細な神経の持ち主だ。
□ 52 絶滅寸前の野生動物の繁植に努める。
□ 53 予算削減で計画変更を余技なくされた。
□ 54 指定名柄の株を複数保有しています。
□ 55 信号機の故障で車の大渋待が起きた。
□ 56 生態系が崩れ自然界の巡環が断たれた。

25 把→覇
26 旋→遷
27 頂→眺
28 並→併
29 歓→陥
30 渡→途
31 指→刺
32 寄→因
33 憂→幽
34 堂→洞
35 等→投
36 展→添
37 衝→渉
38 作→策
39 足→促
40 核→殻
41 粗→疎
42 節→摂
43 絞→締
44 粗→阻
45 括→轄
46 個→拠
47 端→担
48 痛→悼
49 置→致
50 規→棄
51 線→繊
52 植→殖
53 技→儀
54 名→銘
55 待→滞
56 巡→循

かならず押さえる！

頻出度

A

誤字訂正―⑤

※次の文中にまちがって使われている漢字が一字ある。同じ音訓の正しい漢字を記せ。

□ 1 幽弦の趣のある石庭を観賞する。
□ 2 施設の存続を求める誓願書を提出した。
□ 3 物価上昇の影響で家計を閉めた。
□ 4 体の故傷を訴え精密検査を受けた。
□ 5 期末試験に備えて撤夜で勉強した。
□ 6 生態形に配慮した都市開発を模索する。
□ 7 環境汚染は人類の生存基板を脅かす。
□ 8 温暖化で害虫の分附域が拡張する。
□ 9 彼は非常に自己堅示欲の強い人だ。
□ 10 湿器は気品と重厚さを醸し出す。
□ 11 自然の恩恵は人類が平等に共受すべきだ。
□ 12 精巧に欺造された紙幣を見破った。
□ 13 露骨な物質主義に警掌を鳴らす。
□ 14 契約内容を正確に把握し検到する。
□ 15 環境問題は一刻の裕予もならない。
□ 16 公金を懐帯し逃走中の犯人を追跡する。
□ 17 災害時の救及医療の改善策をまとめる。
□ 18 事業の採算がとれず資金が枯割した。
□ 19 思わぬ展開で勢力の均綱が崩れた。
□ 20 革新的な工芸品の意粧を法で保護する。
□ 21 路坊の道祖神の脇に一輪の花を添える。
□ 22 被害者が国に対し訴紹を起こした。
□ 23 至近の医療機関へ急患を頒送した。
□ 24 正念場で本領を遺感なく発揮した。

目標正答率 80%

／56

標準解答

1 弦→玄
2 誓→請
3 閉→締
4 傷→障
5 撤→徹
6 形→系
7 板→盤
8 附→布
9 堅→顕
10 湿→漆
11 共→享
12 欺→偽
13 掌→鐘
14 到→討
15 裕→猶
16 懐→拐
17 及→急
18 割→渇
19 綱→衡
20 粧→匠
21 坊→傍
22 紹→訟
23 頒→搬
24 感→憾

□25 海底調査機器を正確に遠拡操作する。
□26 豊富な経験を積み人情の機備に通じる。
□27 あらゆる条件を毛羅した計画だ。
□28 堅固な城壁を築いて敵の攻激を防ぐ。
□29 人跡未踏の海構は神秘に包まれている。
□30 式典で平和の肖徴であるハトを飛ばす。
□31 自動車の使用自縮を呼びかける。
□32 世論調査の回答者を無作意に選ぶ。
□33 付加価値の高い果実を促成栽媒する。
□34 森林抜採で土壌の保水機能が失われた。
□35 台風が農作物に尽大な被害をもたらす。
□36 当事国の交渉が妥結し憤争が収束した。
□37 脂肪を過状に摂取して肥満が進行した。
□38 日本食の味力と伝統を海外に発信する。
□39 判断の難しい争点を巡って診理が進む。
□40 収賄事件の決定的な証拠を応収する。

□41 校庭の隅にある花段を手入れする。
□42 医師が感染症の墨滅に心血を注ぐ。
□43 人権用護の取り組みを推進する。
□44 公務員の不詳事が新聞に報道された。
□45 衝突事故で道路が充滞し仕事に遅れた。
□46 夜を日に次いで突貫工事を進めた。
□47 鮮練された建築様式が注目を集めた。
□48 酸性雨による建造物の普食が問題だ。
□49 造丙局で天皇即位の記念硬貨を製造した。
□50 豪雨により下流域の堤防が決開した。
□51 改修工事は規道に乗り完成間近だ。
□52 消火泉の設備を定期的に点検する。
□53 辞令に従い大阪支社に単身付任する。
□54 短波長の紫外線はオゾン層を逃過しない。
□55 製品開発の技術者を弱干名雇用した。
□56 交感神経の興奮で心臓の伯動が増す。

25 拡→隔
26 備→微
27 毛→網
28 激→撃
29 構→溝
30 肖→象
31 縮→粛
32 意→為
33 媒→培
34 抜→伐
35 尽→甚
36 憤→紛
37 状→剰
38 味→魅
39 診→審
40 応→押

41 段→壇
42 墨→撲
43 用→擁
44 詳→祥
45 充→渋
46 次→継
47 鮮→洗
48 普→腐
49 丙→幣
50 開→壊
51 規→軌
52 泉→栓
53 付→赴
54 逃→透
55 弱→若
56 伯→拍

かならず押さえる！
頻出度 A

対義語・類義語―①

目標正答率 85%
／48

※□の中の語を必ず一度使って漢字に直し、対義語・類義語を記せ。

対義語

□1 潤沢
□2 凝固
□3 下落
□4 混乱
□5 冗長
□6 挫折
□7 侵害
□8 病弱
□9 特殊
□10 任命

かんけつ
かんてつ
こかつ
そうけん
ちつじょ
とうき
ひめん
ふへん
ゆうかい
ようご

類義語

□11 降格
□12 推移
□13 辛酸
□14 全治
□15 寄与
□16 看過
□17 恐喝
□18 順次
□19 抜粋
□20 公開

いかく
えんかく
こうけん
こんきゅう
させん
しょうろく
ちくじ
ひろう
へいゆ
もくにん

標準解答

1 潤沢(じゅんたく)↔枯渇(こかつ)
2 凝固(ぎょうこ)↔融解(ゆうかい)
3 下落(げらく)↔騰貴(とうき)
4 混乱(こんらん)↔秩序(ちつじょ)
5 冗長(じょうちょう)↔簡潔(かんけつ)
6 挫折(ざせつ)↔貫徹(かんてつ)
7 侵害(しんがい)↔擁護(ようご)
8 病弱(びょうじゃく)↔壮健(そうけん)
9 特殊(とくしゅ)↔普遍(ふへん)
10 任命(にんめい)↔罷免(ひめん)
11 降格(こうかく)＝左遷(させん)
12 推移(すいい)＝沿革(えんかく)
13 辛酸(しんさん)＝困窮(こんきゅう)
14 全治(ぜんち)＝平癒(へいゆ)
15 寄与(きよ)＝貢献(こうけん)
16 看過(かんか)＝黙認(もくにん)
17 恐喝(きょうかつ)＝威嚇(いかく)
18 順次(じゅんじ)＝逐次(ちくじ)
19 抜粋(ばっすい)＝抄録(しょうろく)
20 公開(こうかい)＝披露(ひろう)

対義語

□21 高遠
□22 決裂
□23 多弁
□24 巧妙
□25 反逆
□26 富裕
□27 炎暑
□28 国産
□29 隆起
□30 栄転
□31 崇拝
□32 慶賀
□33 粗雑
□34 率先

あいとう　かもく　かんぼつ　きょうじゅん　けいぶ　こっかん　させん　せつれつ　だけつ　ちみつ　ついずい　はくらい　ひきん　ひんきゅう

類義語

□35 残念
□36 譲歩
□37 奮戦
□38 激怒
□39 熟知
□40 根絶
□41 湯船
□42 平穏
□43 永遠
□44 歴然
□45 荘重
□46 昼寝
□47 祝福
□48 猛者

あんねい　いかん　かんとう　けいが　げんしゅく　けんちょ　ごうけつ　ごすい　だきょう　つうぎょう　ふんがい　ぼくめつ　ゆうきゅう　よくそう

21 高遠（こうえん）↕卑近（ひきん）
22 決裂（けつれつ）↕妥結（だけつ）
23 多弁（たべん）↕寡黙（かもく）
24 巧妙（こうみょう）↕拙劣（せつれつ）
25 反逆（はんぎゃく）↕恭順（きょうじゅん）
26 富裕（ふゆう）↕貧窮（ひんきゅう）
27 炎暑（えんしょ）↕酷寒（こっかん）
28 国産（こくさん）↕舶来（はくらい）
29 隆起（りゅうき）↕陥没（かんぼつ）
30 栄転（えいてん）↕左遷（させん）
31 崇拝（すうはい）↕軽侮（けいぶ）
32 慶賀（けいが）↕哀悼（あいとう）
33 粗雑（そざつ）↕緻密（ちみつ）
34 率先（そっせん）↕追随（ついずい）

35 残念（ざんねん）＝遺憾（いかん）
36 譲歩（じょうほ）＝妥協（だきょう）
37 奮戦（ふんせん）＝敢闘（かんとう）
38 激怒（げきど）＝憤慨（ふんがい）
39 熟知（じゅくち）＝通暁（つうぎょう）
40 根絶（こんぜつ）＝撲滅（ぼくめつ）
41 湯船（ゆぶね）＝浴槽（よくそう）
42 平穏（へいおん）＝安寧（あんねい）
43 永遠（えいえん）＝悠久（ゆうきゅう）
44 歴然（れきぜん）＝顕著（けんちょ）
45 荘重（そうちょう）＝厳粛（げんしゅく）
46 昼寝（ひるね）＝午睡（ごすい）
47 祝福（しゅくふく）＝慶賀（けいが）
48 猛者（もさ）＝豪傑（ごうけつ）

かならず押さえる!

頻出度 A

対義語・類義語―②

※ □ の中の語を必ず一度使って漢字に直し、対義語・類義語を記せ。

対義語

□ 1 巧妙
□ 2 冗舌
□ 3 賛辞
□ 4 極端
□ 5 個別
□ 6 暴露
□ 7 獲得
□ 8 横柄
□ 9 純白
□ 10 進出

いっせい
かもく
けんきょ
こくひょう
しっこく
そうしつ
ちせつ
ちゅうよう
てったい
ひとく

類義語

□ 11 永眠
□ 12 功名
□ 13 死亡
□ 14 容赦
□ 15 混乱
□ 16 中核
□ 17 筋道
□ 18 不意
□ 19 豊富
□ 20 気分

かんべん
きげん
しゅくん
じゅんたく
すうじく
せいきょ
たかい
とうとつ
ふんきゅう
みゃくらく

目標正答率 85%

／48

標準解答

1 巧妙（こうみょう）↔稚拙（ちせつ）
2 冗舌（じょうぜつ）↔寡黙（かもく）
3 賛辞（さんじ）↔酷評（こくひょう）
4 極端（きょくたん）↔中庸（ちゅうよう）
5 個別（こべつ）↔一斉（いっせい）
6 暴露（ばくろ）↔秘匿（ひとく）
7 獲得（かくとく）↔喪失（そうしつ）
8 横柄（おうへい）↔謙虚（けんきょ）
9 純白（じゅんぱく）↔漆黒（しっこく）
10 進出（しんしゅつ）↔撤退（てったい）

11 永眠（えいみん）＝他界（たかい）
12 功名（こうみょう）＝殊勲（しゅくん）
13 死亡（しぼう）＝逝去（せいきょ）
14 容赦（ようしゃ）＝勘弁（かんべん）
15 混乱（こんらん）＝紛糾（ふんきゅう）
16 中核（ちゅうかく）＝枢軸（すうじく）
17 筋道（すじみち）＝脈絡（みゃくらく）
18 不意（ふい）＝唐突（とうとつ）
19 豊富（ほうふ）＝潤沢（じゅんたく）
20 気分（きぶん）＝機嫌（きげん）

対義語

□21 名誉
□22 暫時
□23 下賜
□24 答申
□25 明瞭
□26 新奇
□27 真実
□28 更生
□29 褒賞
□30 賢明
□31 狭量
□32 威圧
□33 自生
□34 発病

あいまい　あんぐ　かいじゅう　かんよう　きょぎ　けんじょう　こうきゅう　さいばい　しもん　だらく　ちじょく　ちゆ　ちょうばつ　ちんぷ

類義語

□35 来歴
□36 貧困
□37 非凡
□38 死角
□39 考慮
□40 無欠
□41 解雇
□42 沿革
□43 心配
□44 妨害
□45 調停
□46 折衝
□47 調和
□48 難点

かんぺき　きゅうぼう　きんこう　けっかん　けねん　こうしょう　しゃくりょう　じゃま　しゅういつ　ちゅうさい　ひめん　へんせん　もうてん　ゆいしょ

21 名誉（めいよ）↔恥辱（ちじょく）
22 暫時（ざんじ）↔恒久（こうきゅう）
23 下賜（かし）↔献上（けんじょう）
24 答申（とうしん）↔諮問（しもん）
25 明瞭（めいりょう）↔曖昧（あいまい）
26 新奇（しんき）↔陳腐（ちんぷ）
27 真実（しんじつ）↔虚偽（きょぎ）
28 更生（こうせい）↔堕落（だらく）
29 褒賞（ほうしょう）↔懲罰（ちょうばつ）
30 賢明（けんめい）↔暗愚（あんぐ）
31 狭量（きょうりょう）↔寛容（かんよう）
32 威圧（いあつ）↔懐柔（かいじゅう）
33 自生（じせい）↔栽培（さいばい）
34 発病（はつびょう）↔治癒（ちゆ）

35 来歴（らいれき）＝由緒（ゆいしょ）
36 貧困（ひんこん）＝窮乏（きゅうぼう）
37 非凡（ひぼん）＝秀逸（しゅういつ）
38 死角（しかく）＝盲点（もうてん）
39 考慮（こうりょ）＝酌量（しゃくりょう）
40 無欠（むけつ）＝完璧（かんぺき）
41 解雇（かいこ）＝罷免（ひめん）
42 沿革（えんかく）＝変遷（へんせん）
43 心配（しんぱい）＝懸念（けねん）
44 妨害（ぼうがい）＝邪魔（じゃま）
45 調停（ちょうてい）＝仲裁（ちゅうさい）
46 折衝（せっしょう）＝交渉（こうしょう）
47 調和（ちょうわ）＝均衡（きんこう）
48 難点（なんてん）＝欠陥（けっかん）

かならず押さえる！
頻出度 A

対義語・類義語 ③

※ □ の中の語を必ず一度使って漢字に直し、対義語・類義語を記せ。

目標正答率 85%
／48

対義語

□ 1 威嚇
□ 2 冗漫
□ 3 愛護
□ 4 禁欲
□ 5 粗略
□ 6 過激
□ 7 飽食
□ 8 汚濁
□ 9 虚弱
□ 10 分割

いっかつ
おんけん
かいじゅう
かんけつ
がんけん
きが
ぎゃくたい
きょうらく
せいちょう
ていねい

類義語

□ 11 屋敷
□ 12 反逆
□ 13 堅持
□ 14 省略
□ 15 無口
□ 16 処罰
□ 17 一掃
□ 18 掃討
□ 19 回復
□ 20 手当

かつあい
かもく
くちく
ちゆ
ちょうかい
ていたく
ふっしょく
ほうしゅう
ぼくしゅ
むほん

標準解答

1 威嚇(いかく)↕懐柔(かいじゅう)
2 冗漫(じょうまん)↕簡潔(かんけつ)
3 愛護(あいご)↕虐待(ぎゃくたい)
4 禁欲(きんよく)↕享楽(きょうらく)
5 粗略(そりゃく)↕丁寧(ていねい)
6 過激(かげき)↕穏健(おんけん)
7 飽食(ほうしょく)↕飢餓(きが)
8 汚濁(おだく)↕清澄(せいちょう)
9 虚弱(きょじゃく)↕頑健(がんけん)
10 分割(ぶんかつ)↕一括(いっかつ)

11 屋敷(やしき)＝邸宅(ていたく)
12 反逆(はんぎゃく)＝謀反(むほん)
13 堅持(けんじ)＝墨守(ぼくしゅ)
14 省略(しょうりゃく)＝割愛(かつあい)
15 無口(むくち)＝寡黙(かもく)
16 処罰(しょばつ)＝懲戒(ちょうかい)
17 一掃(いっそう)＝払拭(ふっしょく)
18 掃討(そうとう)＝駆逐(くちく)
19 回復(かいふく)＝治癒(ちゆ)
20 手当(てあて)＝報酬(ほうしゅう)

対義語

- □ 21 枯渇
- □ 22 覚醒
- □ 23 不足
- □ 24 虚弱
- □ 25 欠乏
- □ 26 凡才
- □ 27 軽侮
- □ 28 陳腐
- □ 29 激賞
- □ 30 没落
- □ 31 貫徹
- □ 32 不毛
- □ 33 概略
- □ 34 凡百

いさい　いつざい　きょうそう　さいみん　ざせつ　ざんしん　じゅうそく　すうはい　ばとう　ひよく　ぼっこう　ゆいいつ　ゆうしゅつ　よじょう

類義語

- □ 35 制約
- □ 36 監禁
- □ 37 心配
- □ 38 互角
- □ 39 指揮
- □ 40 同輩
- □ 41 縁者
- □ 42 沈着
- □ 43 歳月
- □ 44 瞬間
- □ 45 忘我
- □ 46 工面
- □ 47 長者
- □ 48 献上

きんてい　こういん　さいはい　しんせき　せつな　そくばく　たいぜん　とうすい　どうりょう　ねんしゅつ　はくちゅう　ふごう　ゆうへい　ゆうりょ

---

21 枯渇（こかつ）↔湧出（ゆうしゅつ）
22 覚醒（かくせい）↔催眠（さいみん）
23 不足（ふそく）↔余剰（よじょう）
24 虚弱（きょじゃく）↔強壮（きょうそう）
25 欠乏（けつぼう）↔充足（じゅうそく）
26 凡才（ぼんさい）↔逸材（いつざい）
27 軽侮（けいぶ）↔崇拝（すうはい）
28 陳腐（ちんぷ）↔斬新（ざんしん）
29 激賞（げきしょう）↔罵倒（ばとう）
30 没落（ぼつらく）↔勃興（ぼっこう）
31 貫徹（かんてつ）↔挫折（ざせつ）
32 不毛（ふもう）↔肥沃（ひよく）
33 概略（がいりゃく）↔委細（いさい）
34 凡百（ぼんぴゃく）↔唯一（ゆいいつ）

35 制約（せいやく）＝束縛（そくばく）
36 監禁（かんきん）＝幽閉（ゆうへい）
37 心配（しんぱい）＝憂慮（ゆうりょ）
38 互角（ごかく）＝伯仲（はくちゅう）
39 指揮（しき）＝采配（さいはい）
40 同輩（どうはい）＝同僚（どうりょう）
41 縁者（えんじゃ）＝親戚（しんせき）
42 沈着（ちんちゃく）＝泰然（たいぜん）
43 歳月（さいげつ）＝光陰（こういん）
44 瞬間（しゅんかん）＝刹那（せつな）
45 忘我（ぼうが）＝陶酔（とうすい）
46 工面（くめん）＝捻出（ねんしゅつ）
47 長者（ちょうじゃ）＝富豪（ふごう）
48 献上（けんじょう）＝謹呈（きんてい）

かならず押さえる！ 頻出度 A

対義語・類義語―④

目標正答率 85%

／48

※ □ の中の語を必ず一度使って漢字に直し、対義語・類義語を記せ。

対義語

□ 1 畏敬
□ 2 設置
□ 3 興隆
□ 4 寛容
□ 5 哀悼
□ 6 総合
□ 7 絶賛
□ 8 事実
□ 9 密集
□ 10 永遠

きょうりょう
きょこう
けいが
こくひょう
すいび
せつな
てっきょ
てんざい
ぶべつ
ぶんせき

類義語

□ 11 是認
□ 12 翼下
□ 13 学識
□ 14 頑健
□ 15 絶壁
□ 16 重病
□ 17 隷属
□ 18 平穏
□ 19 辛抱
□ 20 丹念

あんたい
きょうじゅん
きょうそう
こうてい
さんか
ぞうけい
たいかん
だんがい
ていねい
にんたい

標準解答

1 畏敬（いけい）↕侮蔑（ぶべつ）
2 設置（せっち）↕撤去（てっきょ）
3 興隆（こうりゅう）↕衰微（すいび）
4 寛容（かんよう）↕狭量（きょうりょう）
5 哀悼（あいとう）↕慶賀（けいが）
6 総合（そうごう）↕分析（ぶんせき）
7 絶賛（ぜっさん）↕酷評（こくひょう）
8 事実（じじつ）↕虚構（きょこう）
9 密集（みっしゅう）↕点在（てんざい）
10 永遠（えいえん）↕刹那（せつな）

11 是認（ぜにん）＝肯定（こうてい）
12 翼下（よくか）＝傘下（さんか）
13 学識（がくしき）＝造詣（ぞうけい）
14 頑健（がんけん）＝強壮（きょうそう）
15 絶壁（ぜっぺき）＝断崖（だんがい）
16 重病（じゅうびょう）＝大患（たいかん）
17 隷属（れいぞく）＝恭順（きょうじゅん）
18 平穏（へいおん）＝安泰（あんたい）
19 辛抱（しんぼう）＝忍耐（にんたい）
20 丹念（たんねん）＝丁寧（ていねい）

対義語

□21 理論
□22 清浄
□23 蓄積
□24 固辞
□25 不足
□26 古豪
□27 巧遅
□28 緩慢
□29 謙虚
□30 解放
□31 偉大
□32 枯渇
□33 受諾
□34 淡白

おだく　かいだく　かじょう　きょひ　じっせん　じゅんたく　しょうもう　しんえい　じんそく　せっそく　そくばく　そんだい　のうこう　ぼんよう

類義語

□35 継承
□36 本復
□37 親密
□38 工事
□39 遺恨
□40 頑丈
□41 一般
□42 面倒
□43 卓抜
□44 漂泊
□45 核心
□46 留意
□47 将来
□48 奇抜

おんねん　かいゆ　けっしゅつ　けんご　こんい　ざんしん　ぜんと　ちゅうすう　とうしゅう　はいりょ　ふしん　ふへん　やっかい　るろう

---

21 理論（りろん）↔実践（じっせん）
22 清浄（せいじょう）↔汚濁（おだく）
23 蓄積（ちくせき）↔消耗（しょうもう）
24 固辞（こじ）↔快諾（かいだく）
25 不足（ふそく）↔過剰（かじょう）
26 古豪（こごう）↔新鋭（しんえい）
27 巧遅（こうち）↔拙速（せっそく）
28 緩慢（かんまん）↔迅速（じんそく）
29 謙虚（けんきょ）↔尊大（そんだい）
30 解放（かいほう）↔束縛（そくばく）
31 偉大（いだい）↔凡庸（ぼんよう）
32 枯渇（こかつ）↔潤沢（じゅんたく）
33 受諾（じゅだく）↔拒否（きょひ）
34 淡白（たんぱく）↔濃厚（のうこう）

35 継承（けいしょう）＝踏襲（とうしゅう）
36 本復（ほんぷく）＝快癒（かいゆ）
37 親密（しんみつ）＝懇意（こんい）
38 工事（こうじ）＝普請（ふしん）
39 遺恨（いこん）＝怨念（おんねん）
40 頑丈（がんじょう）＝堅固（けんご）
41 一般（いっぱん）＝普遍（ふへん）
42 面倒（めんどう）＝厄介（やっかい）
43 卓抜（たくばつ）＝傑出（けっしゅつ）
44 漂泊（ひょうはく）＝流浪（るろう）
45 核心（かくしん）＝中枢（ちゅうすう）
46 留意（りゅうい）＝配慮（はいりょ）
47 将来（しょうらい）＝前途（ぜんと）
48 奇抜（きばつ）＝斬新（ざんしん）

同音・同訓異字――①

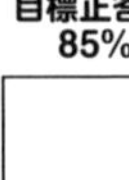

✻ 次の――線のカタカナを漢字に直せ。

1 **カビン**に赤いバラを生けた。
2 疲れて神経が**カビン**になる。
3 入国に必要な**サショウ**を申請した。
4 学歴**サショウ**で取り調べを受ける。
5 亡母の**ホンソウ**は自宅で行われた。
6 募金集めに**ホンソウ**する。
7 親善国に大使を**ハケン**した。
8 両雄が**ハケン**をかけて争った。
9 市長選挙の投票日を**コクジ**する。
10 顔は兄に**コクジ**している。
11 いたずらした子を**コ**らしめた。
12 随所に工夫を**コ**らした作品だ。
13 親族が亡くなり**モ**に服す。
14 水槽に**モ**が繁殖する。
15 労使間の**コウショウ**が決裂する。
16 **コウショウ**な趣味の持ち主だ。
17 幼い子どもが**ユウカイ**された。
18 氷が**ユウカイ**して水になる。
19 大企業の**サンカ**に入る。
20 戦争の**サンカ**を後世に伝える。
21 不祥事で大臣が**コウテツ**された。
22 **コウテツ**のような強い意志を持つ。
23 **ジョウザイ**のかぜ薬を飲む。
24 **ジョウザイ**を募って寺を修繕する。

標準解答

1 花瓶
2 過敏
3 査証
4 詐称
5 本葬
6 奔走
7 派遣
8 覇権
9 告示
10 酷似
11 懲
12 凝
13 喪
14 藻
15 交渉
16 高尚
17 誘拐
18 融解
19 傘下
20 惨禍
21 更迭
22 鋼鉄
23 錠剤
24 浄財

読み 504問
書き取り 504問
四字熟語 224問
送りがな 168問
誤字訂正 280問
対義語・類義語 192問
同音・同訓異字① 224問
部首 168問
熟語の構成 177問

□ 25 意見は**シュコウ**し難いものだった。
□ 26 **シュコウ**をこらした部屋で暮らす。

□ 27 庭の落ち葉を**ハ**き寄せる。
□ 28 雨でぬれた靴を**ハ**き替えた。

□ 29 捜索で書類を**オウシュウ**した。
□ 30 **オウシュウ**各国の首脳と会談した。

□ 31 物価の**トウキ**が懸念される。
□ 32 ごみの不法**トウキ**がなくならない。

□ 33 知人の**キュウセイ**に悲嘆にくれる。
□ 34 職場では**キュウセイ**で通している。

□ 35 中学では**カイキン**で表彰された。
□ 36 **カイキン**シャツは涼しくてよい。

□ 37 **ユウシ**鉄線を越えて逃走された。
□ 38 不正**ユウシ**が発覚した。

□ 39 宮中に特産品を**ケンジョウ**する。
□ 40 **ケンジョウ**の心で相手を立てる。

□ 41 家の前の道路を**セイソウ**する。
□ 42 幾**セイソウ**を経て恩師と再会した。

□ 43 輸入植物の**ケンエキ**を行う。
□ 44 紛争の中で国の**ケンエキ**を守る。

□ 45 稲の**ホ**が風になびく。
□ 46 ヨットの**ホ**を張る。

□ 47 老齢の両親を**フヨウ**する。
□ 48 大胆な景気**フヨウ**策を講じる。

□ 49 上手の手から水が**モ**る。
□ 50 かごにみかんを**モ**る。

□ 51 大型の**センパク**が寄港する。
□ 52 **センパク**な知識をひけらかす。

□ 53 立ち退きの要請を**キョヒ**する。
□ 54 **キョヒ**を投じて競技場を建設する。

□ 55 遭難から奇跡的に**セイカン**した。
□ 56 終始なりゆきを**セイカン**した。

25 首肯　26 趣向
27 掃　28 履
29 押収　30 欧州
31 騰貴　32 投棄
33 急逝　34 旧姓
35 皆勤　36 開襟
37 有刺　38 融資
39 献上　40 謙譲

41 清掃　42 星霜
43 検疫　44 権益
45 穂　46 帆
47 扶養　48 浮揚
49 漏　50 盛
51 船舶　52 浅薄
53 拒否　54 巨費
55 生還　56 静観

かならず押さえる!

頻出度A

同音・同訓異字――②

目標正答率85%

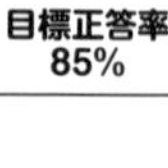

※次の――線のカタカナを漢字に直せ。

□□ 1 ユウカイ事件が多発している。
□ 2 氷のユウカイ点はセ氏零度だ。
□□ 3 二つのデザインはコクジしている。
□ 4 知事選挙の期日がコクジされた。
□□ 5 一大派閥のサンカに入った。
□ 6 戦争のサンカに心を痛める。
□□ 7 しばらく祖母のモに服していた。
□ 8 金魚がモの間を泳ぎまわる。
□□ 9 シュコウしかねる意見だ。
□ 10 シュコウを凝らした演出が光る。
□□ 11 社長のホンソウは明日行われる。
□ 12 記者が情報を求めてホンソウする。
□□ 13 ジョウザイで本堂が修理された。
□ 14 痛み止めのジョウザイを買う。
□□ 15 あゆ漁のカイキンの季節が来た。
□ 16 夏はカイキンのシャツを着る。
□□ 17 中華料理にスをかけた。
□ 18 つばめが元のスに戻ってきた。
□□ 19 経営不振で社長をコウテツする。
□ 20 コウテツのような強い体を誇る。
□□ 21 荒涼たる大地をカイコンする。
□ 22 カイコンの情にさいなまれる。
□□ 23 イッカツして情報を管理する。
□ 24 教師が怠惰な生徒をイッカツする。

標準解答

1 誘拐
2 融解
3 酷似
4 告示
5 傘下
6 惨禍
7 喪
8 藻
9 首肯
10 趣向
11 本葬
12 奔走
13 浄財
14 錠剤
15 解禁
16 開襟
17 酢
18 巣
19 更迭
20 鋼鉄
21 開墾
22 悔恨
23 一括
24 一喝

□ 25 彼女はまるで**ハ**きだめに鶴だ。
□ 26 新しい革靴を**ハ**いて出勤する。
□ 27 相手の攻撃に**オウシュウ**した。
□ 28 現場から証拠品を**オウシュウ**した。
□ 29 家族の**フヨウ**手当が支給された。
□ 30 政府が景気の**フヨウ**策を講じた。
□ 31 多忙を理由に面会を**キョヒ**する。
□ 32 **キョヒ**を投じて新社屋を建てた。
□ 33 亡き父の**ソウレツ**に加わる。
□ 34 **ソウレツ**な戦いに終止符を打つ。
□ 35 山**モ**りのご飯を食べる。
□ 36 天井が雨**モ**りしているようだ。
□ 37 彼の知識は極めて**センパク**だ。
□ 38 多くの**センパク**が停泊している。
□ 39 他人の発言に**カビン**になる。
□ 40 **カビン**に一輪コスモスを挿す。

□ 41 銀行の**ユウシ**が焦げつきだした。
□ 42 **ユウシ**を募ってカンパした。
□ 43 ドライヤーで髪を**カワ**かす。
□ 44 走ったのでのどが**カワ**いた。
□ 45 原告が高等裁判所に**コウソ**した。
□ 46 消化**コウソ**を含む果物を食べる。
□ 47 奉仕活動を**ショウレイ**する。
□ 48 糖尿病の**ショウレイ**を調べる。
□ 49 二列**ジュウタイ**で行進する。
□ 50 高速道路が**ジュウタイ**している。
□ 51 ギターの演奏を**ヒロウ**する。
□ 52 連日の残業で**ヒロウ**が蓄積する。
□ 53 小説の**ボウトウ**から引き込まれた。
□ 54 野菜の価格が**ボウトウ**している。
□ 55 古都で**ユウキュウ**の歴史を思う。
□ 56 **ユウキュウ**休暇をとって旅行する。

25 掃
26 履
27 応酬
28 押収
29 扶養
30 浮揚
31 拒否
32 巨費
33 葬列
34 壮烈
35 盛
36 漏
37 浅薄
38 船舶
39 過敏
40 花瓶

41 融資
42 有志
43 乾
44 渇
45 控訴
46 酵素
47 奨励
48 症例
49 縦隊
50 渋滞
51 披露
52 疲労
53 冒頭
54 暴騰
55 悠久
56 有給

同音・同訓異字 —— ③

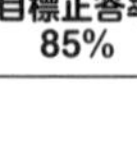

※次の——線のカタカナを漢字に直せ。

□ 1 **ホ**に風を受けヨットが進む。
□ 2 稲の**ホ**が風に揺れている。
□ 3 劇の時代**コウショウ**を行う。
□ 4 出演者との**コウショウ**を進める。
□ 5 バブルで地価が**ボウトウ**した。
□ 6 議会は**ボウトウ**から紛糾した。
□ 7 **シャオン**会の幹事を無難に務めた。
□ 8 **シャオン**された部屋でピアノを弾く。
□ 9 関係者に時間変更の**ムネ**を伝えた。
□ 10 新築の**ムネ**上げ式を行った。
□ 11 帰りに**ジュウタイ**に巻き込まれた。
□ 12 整列して二列**ジュウタイ**となった。

□ 13 体験談を**ヒロウ**する。
□ 14 睡眠をとり**ヒロウ**回復に努める。
□ 15 農家に稲作を**ショウレイ**した。
□ 16 病気の**ショウレイ**を調べる。
□ 17 大使が首相**カンテイ**を訪問した。
□ 18 自衛隊の**カンテイ**が出港した。
□ 19 古都で**ユウキュウ**のときを感じる。
□ 20 **ユウキュウ**休暇をとり旅行した。
□ 21 学歴の**サショウ**が発覚した。
□ 22 大使館で入国**サショウ**を申請する。
□ 23 事件現場に記者を**ハケン**する。
□ 24 党内の**ハケン**を握る。

標準解答

1 帆
2 穂
3 考証
4 交渉
5 暴騰
6 冒頭
7 謝恩
8 遮音
9 旨
10 棟
11 渋滞
12 縦隊

13 披露
14 疲労
15 奨励
16 症例
17 官邸
18 艦艇
19 悠久
20 有給
21 詐称
22 査証
23 派遣
24 覇権

□25 警察は現場で**シモン**を採取した。
□26 **シモン**機関の長に任命された。
□27 伝説が次世代に**コウショウ**される。
□28 彼女の趣味は**コウショウ**だ。
□29 起こした会社の**トウキ**を行った。
□30 ごみの**トウキ**が問題となった。
□31 げたを**ハ**いて夏祭りに出かけた。
□32 劣勢でもひとり気を**ハ**いた。
□33 野次の**オウシュウ**がなされた。
□34 首相が**オウシュウ**各国を訪れた。
□35 農地で稲の**カ**り入れが始まる。
□36 突然、不安に**カ**られる。
□37 力の**キンコウ**が保たれている。
□38 東京**キンコウ**は住宅街が多い。
□39 高校では**スイソウ**楽部に入った。
□40 **スイソウ**で熱帯魚を飼っている。

□41 地中から化石が**ホ**り出された。
□42 大木で仁王像を**ホ**りあげた。
□43 ドルを円に**カンサン**する。
□44 平日の遊園地は**カンサン**としている。
□45 失策の責任を部下に**テンカ**した。
□46 カルシウムが**テンカ**された食品だ。
□47 機能を県から市に**イカン**する。
□48 実力を**イカン**なく発揮した。
□49 **コウテイ**的な意見が多かった。
□50 大使が**コウテイ**にうつり住む。
□51 **ボウエキ**を強化し感染拡大を阻む。
□52 諸外国との**ボウエキ**を拡大する。
□53 末娘は自由**ホンポウ**に育った。
□54 **ホンポウ**初公開の映画を見る。
□55 いたずら小僧を**コ**らしめる。
□56 趣向を**コ**らした料理が並ぶ。

25 指紋
26 諮問
27 口承
28 高尚
29 登記
30 投棄
31 履
32 吐
33 応酬
34 欧州
35 刈
36 駆
37 均衡
38 近郊
39 吹奏
40 水槽

41 掘
42 彫
43 換算
44 閑散
45 転嫁
46 添加
47 移管
48 遺憾
49 肯定
50 公邸
51 防疫
52 貿易
53 奔放
54 本邦
55 懲
56 凝

かならず押さえる！

頻出度

A

同音・同訓異字―④

※次の――線のカタカナを漢字に直せ。

□1 警察が罪を**キュウメイ**する。
□2 迅速な**キュウメイ**処置が行われた。
□3 心の**キンセン**にふれる偉大な話だ。
□4 **キンセン**の貸し借りでもめる。
□5 警察の**ソウサ**の手を逃れる。
□6 クレーン車を巧みに**ソウサ**する。
□7 失政続きの大統領を**ダンガイ**する。
□8 切り立った**ダンガイ**がそそり立つ。
□9 国の権力を**ショウチュウ**に収める。
□10 **ショウチュウ**を水で割って飲む。
□11 バリカンで羊の毛を**カ**る。
□12 草原を馬で**カ**ける。

□13 **カンゲン**楽団でチェロをひく。
□14 利益を消費者に**カンゲン**する。
□15 **スイソウ**で熱帯魚を飼う。
□16 兄は**スイソウ**楽団に所属している。
□17 一対一の**キンコウ**を破る。
□18 都市の**キンコウ**に新居を構える。
□19 **カキ**の木から実をもぎ取る。
□20 心に**カキ**をせよ。
□21 銀行から多額の**ユウシ**を受ける。
□22 **ユウシ**以来の大事件だ。
□23 **ジュウトウ**の所持を法で禁止する。
□24 積立金を修理費に**ジュウトウ**する。

標準解答

1 糾明
2 救命
3 琴線
4 金銭
5 捜査
6 操作
7 弾劾
8 断崖
9 掌中
10 焼酎
11 刈
12 駆

13 管弦
14 還元
15 水槽
16 吹奏
17 均衡
18 近郊
19 柿
20 垣
21 融資
22 有史
23 銃刀
24 充当

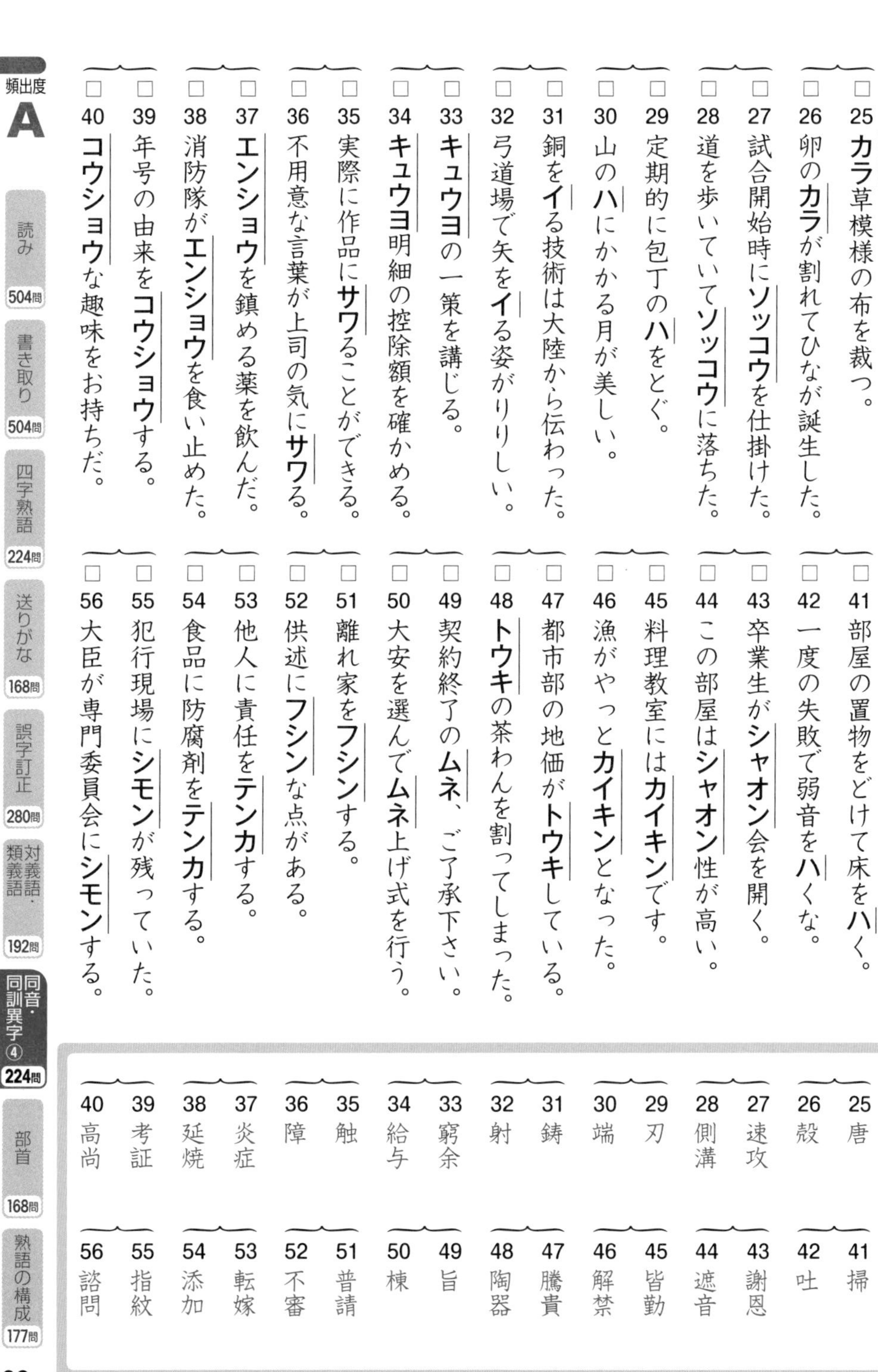

□25 **カラ**草模様の布を裁つ。
□26 卵の**カラ**が割れてひなが誕生した。
□27 試合開始時に**ソッコウ**を仕掛けた。
□28 道を歩いていて**ソッコウ**に落ちた。
□29 定期的に包丁の**ハ**をとぐ。
□30 山の**ハ**にかかる月が美しい。
□31 銅を**イ**る技術は大陸から伝わった。
□32 弓道場で矢を**イ**る姿がりりしい。
□33 **キュウヨ**の一策を講じる。
□34 **キュウヨ**明細の控除額を確かめる。
□35 実際に作品に**サワ**ることができる。
□36 不用意な言葉が上司の気に**サワ**る。
□37 **エンショウ**を鎮める薬を飲んだ。
□38 消防隊が**エンショウ**を食い止めた。
□39 年号の由来を**コウショウ**する。
□40 **コウショウ**な趣味をお持ちだ。

□41 部屋の置物をどけて床を**ハ**く。
□42 一度の失敗で弱音を**ハ**くな。
□43 卒業生が**シャオン**会を開く。
□44 この部屋は**シャオン**性が高い。
□45 料理教室には**カイキン**です。
□46 漁がやっと**カイキン**となった。
□47 都市部の地価が**トウキ**している。
□48 **トウキ**の茶わんを割ってしまった。
□49 契約終了の**ムネ**、ご了承下さい。
□50 大安を選んで**ムネ**上げ式を行う。
□51 離れ家を**フシン**する。
□52 供述に**フシン**な点がある。
□53 他人に責任を**テンカ**する。
□54 食品に防腐剤を**テンカ**する。
□55 犯行現場に**シモン**が残っていた。
□56 大臣が専門委員会に**シモン**する。

25 唐
26 殻
27 速攻
28 側溝
29 刃
30 端
31 鋳
32 射
33 窮余
34 給与
35 触
36 障
37 炎症
38 延焼
39 考証
40 高尚

41 掃
42 吐
43 謝恩
44 遮音
45 皆勤
46 解禁
47 騰貴
48 陶器
49 旨
50 棟
51 普請
52 不審
53 転嫁
54 添加
55 指紋
56 諮問

かならず押さえる！

頻出度

A

部首—①

※次の漢字の部首を記せ。

□1	□2	□3	□4	□5	□6
賓	戻	軟	爵	甚	衷

□7	□8	□9	□10	□11	□12
臭	升	且	瓶	亜	栽

□13	□14	□15	□16	□17	□18
磨	嗣	喪	褒	煩	旋

□19	□20	□21	□22	□23	□24
畝	亭	蛍	虞	弔	疑

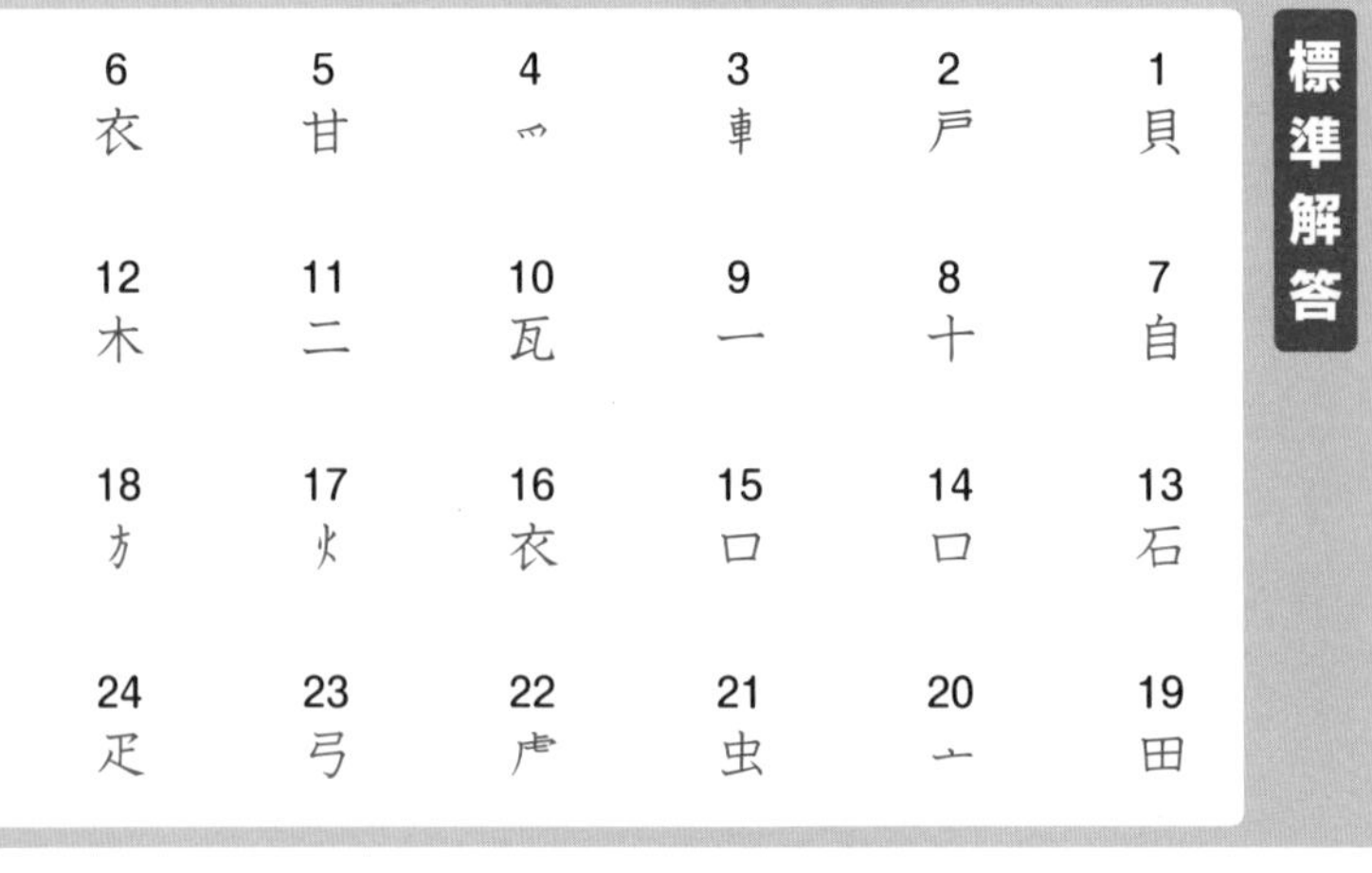

標準解答

1	2	3	4	5	6
貝	戸	車	爫	甘	衣
7	8	9	10	11	12
自	十	一	瓦	二	木
13	14	15	16	17	18
石	口	口	衣	火	方
19	20	21	22	23	24
田	亠	虫	虍	弓	疋

目標正答率
80%

／56

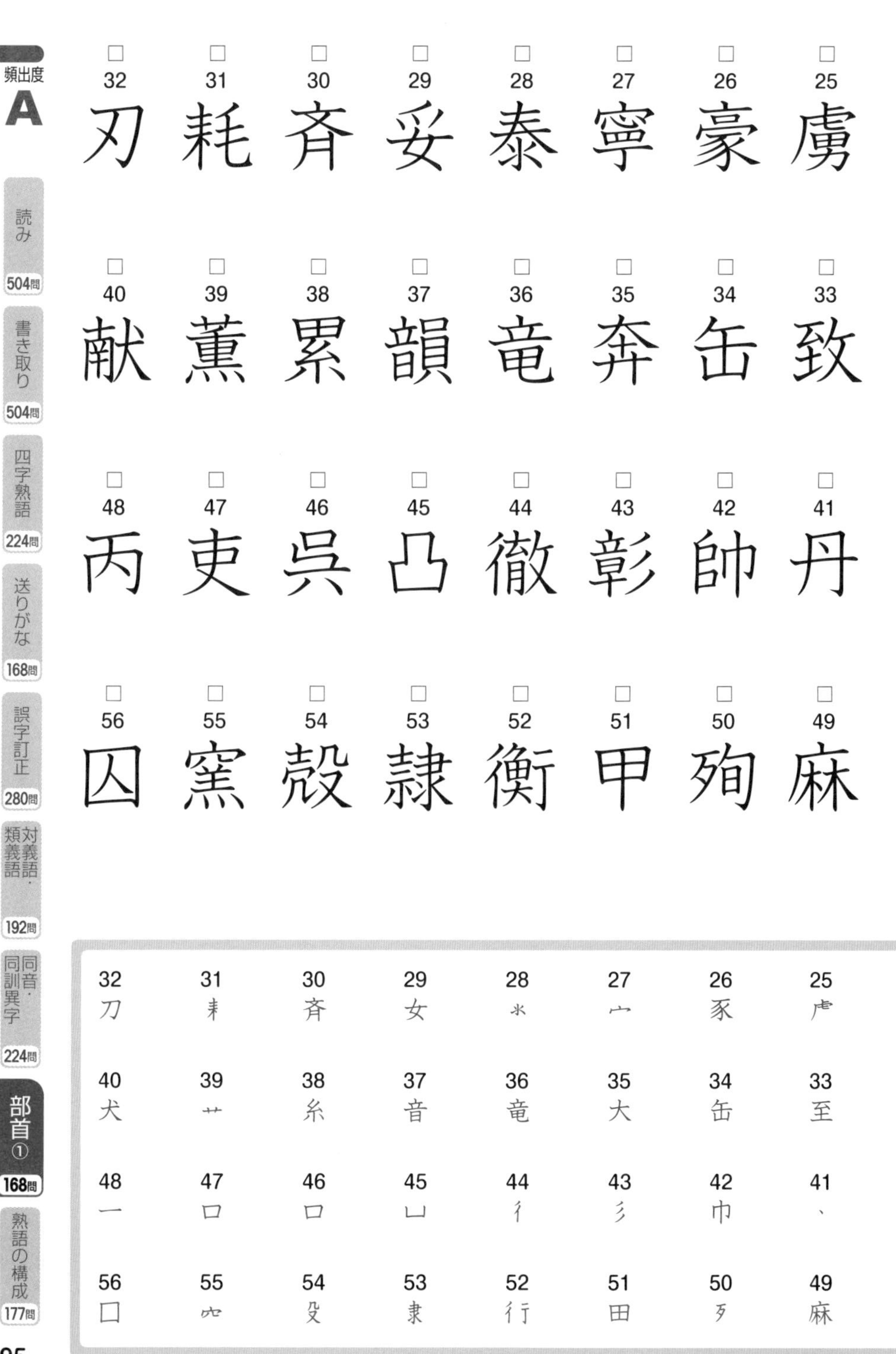

25	26	27	28	29	30	31	32
□ 虜	□ 豪	□ 寧	□ 泰	□ 妥	□ 斉	□ 耗	□ 刃

33	34	35	36	37	38	39	40
□ 致	□ 缶	□ 奔	□ 竜	□ 韻	□ 累	□ 薫	□ 献

41	42	43	44	45	46	47	48
□ 丹	□ 帥	□ 彰	□ 徹	□ 凸	□ 呉	□ 吏	□ 丙

49	50	51	52	53	54	55	56
□ 麻	□ 殉	□ 甲	□ 衡	□ 隷	□ 殻	□ 窯	□ 囚

25	26	27	28	29	30	31	32
虍	豕	宀	氺	女	斉	耒	刀

33	34	35	36	37	38	39	40
至	缶	大	竜	音	糸	艹	犬

41	42	43	44	45	46	47	48
丶	巾	彡	彳	凵	口	口	一

49	50	51	52	53	54	55	56
麻	歹	田	行	隶	殳	穴	囗

読み 504問
書き取り 504問
四字熟語 224問
送りがな 168問
誤字訂正 280問
対義語・類義語 192問
同音・同訓異字 224問
部首① 168問
熟語の構成 177問

かならず押さえる！

頻出度 A

部首―②

目標正答率 80%

／56

※次の漢字の部首を記せ。

1 弊 □	2 款 □	3 呈 □	4 雇 □	5 唇 □	6 面 □
7 朴 □	8 夢 □	9 了 □	10 辱 □	11 幾 □	12 凹 □
13 摩 □	14 叙 □	15 戴 □	16 廷 □	17 再 □	18 準 □
19 酌 □	20 真 □	21 我 □	22 武 □	23 般 □	24 音 □

標準解答

1 廾	2 欠	3 口	4 隹	5 口	6 面
7 木	8 夕	9 亅	10 辰	11 幺	12 凵
13 手	14 又	15 戈	16 廴	17 冂	18 冫
19 酉	20 目	21 戈	22 止	23 舟	24 音

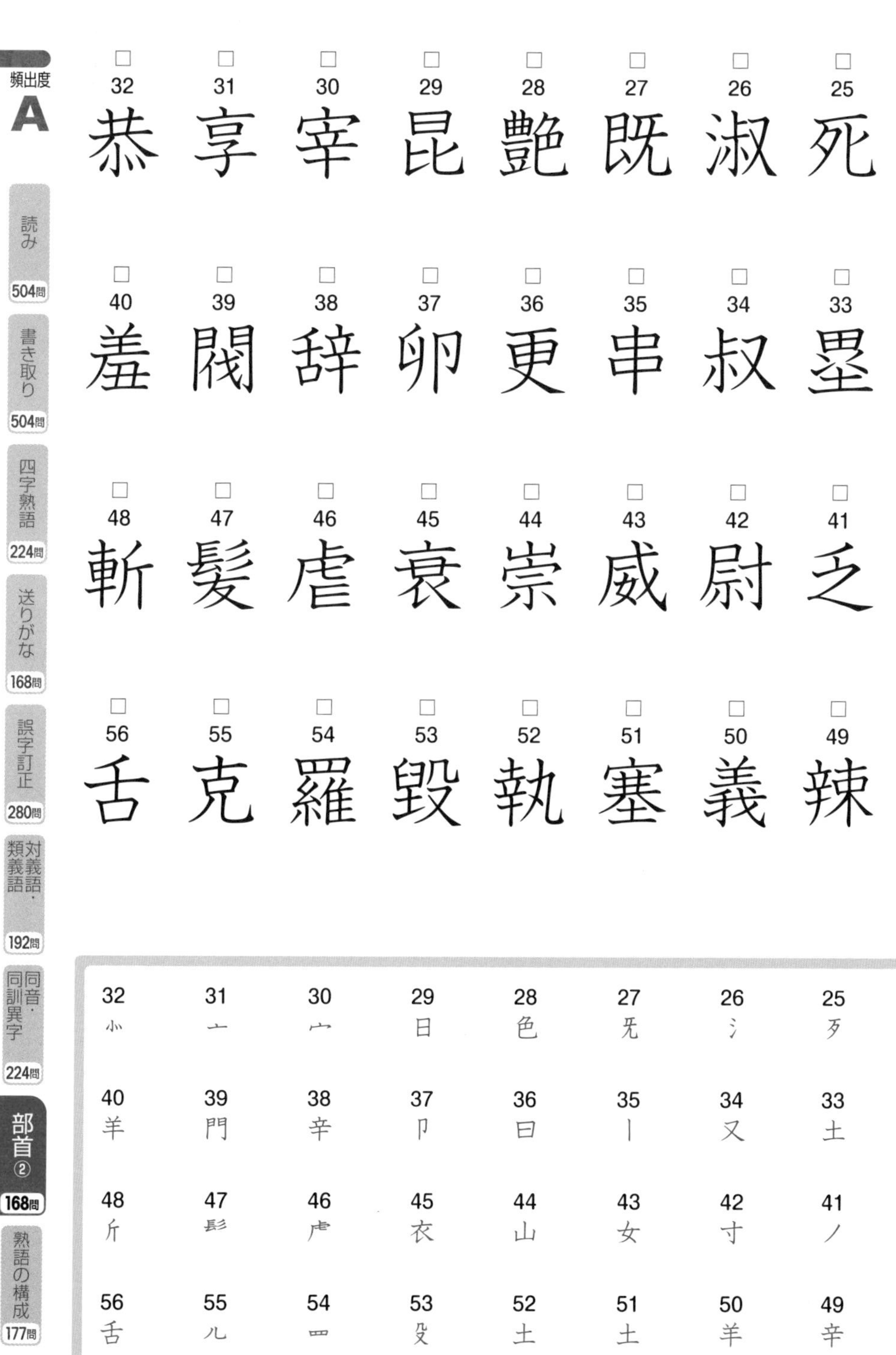

32	31	30	29	28	27	26	25
□ 恭	□ 享	□ 宰	□ 昆	□ 艶	□ 既	□ 淑	□ 死

40	39	38	37	36	35	34	33
□ 羞	□ 閥	□ 辞	□ 卯	□ 更	□ 串	□ 叔	□ 塁

48	47	46	45	44	43	42	41
□ 斬	□ 髪	□ 虐	□ 衰	□ 崇	□ 威	□ 尉	□ 乏

56	55	54	53	52	51	50	49
□ 舌	□ 克	□ 羅	□ 毀	□ 執	□ 塞	□ 義	□ 辣

32	31	30	29	28	27	26	25
⺗	亠	宀	日	色	旡	氵	歹
40	**39**	**38**	**37**	**36**	**35**	**34**	**33**
羊	門	辛	卩	曰	丨	又	土
48	**47**	**46**	**45**	**44**	**43**	**42**	**41**
斤	髟	虍	衣	山	女	寸	丿
56	**55**	**54**	**53**	**52**	**51**	**50**	**49**
舌	儿	罒	殳	土	土	羊	辛

かならず押さえる！

頻出度 **A**

部首――③

※次の漢字の部首を記せ。

1	2	3	4	5	6
兆	尼	裏	革	歯	版

7	8	9	10	11	12
魂	罵	准	傑	童	玄

13	14	15	16	17	18
勅	者	尿	眉	旦	堪

19	20	21	22	23	24
充	窮	矛	癒	頻	企

目標正答率 80%

／56

標準解答

1	2	3	4	5	6
儿	尸	衣	革	歯	片

7	8	9	10	11	12
鬼	罒	冫	亻	立	玄

13	14	15	16	17	18
力	耂	尸	目	日	土

19	20	21	22	23	24
儿	穴	矛	疒	頁	人

頻出度 A

□ 25	□ 26	□ 27	□ 28	□ 29	□ 30	□ 31	□ 32
猶	暮	鼓	赴	斗	翁	塑	靴

□ 33	□ 34	□ 35	□ 36	□ 37	□ 38	□ 39	□ 40
匠	唯	宜	須	辛	拳	骨	羨

□ 41	□ 42	□ 43	□ 44	□ 45	□ 46	□ 47	□ 48
宵	舞	美	臼	索	虎	丘	直

□ 49	□ 50	□ 51	□ 52	□ 53	□ 54	□ 55	□ 56
罷	卑	壱	青	歴	秀	鼻	幕

25	26	27	28	29	30	31	32
犭	日	鼓	走	斗	羽	土	革

33	34	35	36	37	38	39	40
匚	口	宀	頁	辛	手	骨	羊

41	42	43	44	45	46	47	48
宀	舛	羊	臼	糸	虍	一	目

49	50	51	52	53	54	55	56
罒	十	士	青	止	禾	鼻	巾

かならず押さえる!

頻出度 A

熟語の構成――①

※熟語の構成には次のようなものがある。

ア　同じような意味の漢字を重ねたもの（例　岩石）
イ　反対または対応の意味を表す字を重ねたもの（例　高低）
ウ　上の字が下の字を修飾しているもの（例　洋画）
エ　下の字が上の字の目的語・補語となっているもの（例　着席）
オ　上の字が下の字の意味を打ち消しているもの（例　非常）

次の熟語はそのどれに当たるか、記号を記せ。

□1 放逐
□2 親疎
□3 繁閑
□4 去就
□5 脚韻
□6 遡源
□7 不遜
□8 向背
□9 媒介
□10 遷都
□11 多寡
□12 奔流
□13 不肖
□14 慶弔
□15 弾劾

標準解答

1 ア　どちらも「おいはらう」の意
2 イ　「親密」⇔「疎遠」の意
3 イ　「忙しい」⇔「ひま」の意
4 イ　「去る」⇔「就く」の意
5 ウ　「文末で＋韻を踏む」と解釈する

6 エ　「さかのぼる←源を」と解釈する
7 オ　「ない←謙遜する気持ちが」と解釈する
8 イ　「従う」⇔「背く」の意
9 ア　どちらも「なかだちをする」の意
10 エ　「移す←都を」と解釈する

11 イ　「多い」⇔「少ない」の意
12 ウ　「激しい勢いの＋流れ」と解釈する
13 オ　「ない←師匠などに似て」と解釈する
14 イ　「よいこと」⇔「よくないこと」の意
15 ア　どちらも「罪を責め立てる」の意

頻出度 A

16	無窮
17	早晩
18	搭乗
19	禍福
20	収賄
21	酪農
22	謹呈
23	広漠
24	逓減
25	逸脱
26	及落
27	顕在
28	疾患
29	贈答
30	殉教
31	上棟
32	享受
33	寛厳
34	公僕
35	長幼
36	遵法
37	叙事
38	需給
39	経緯
40	不偏
41	巧拙
42	擬似
43	毀誉
44	叙情
45	懐古
46	雅俗
47	任免
48	浄財

16	オ	「ない←きわまること」と解釈する
17	イ	「早い」⇔「おそい」の意
18	ア	どちらも「のる」の意
19	イ	「わざわい」⇔「幸福」の意
20	エ	「収める←賄賂を」と解釈する
21	ウ	「乳製品などの＋農業」と解釈する
22	ウ	「謹んで＋差し上げる」と解釈する
23	ア	どちらも「広い」の意
24	ウ	「次第に＋減る」と解釈する
25	ア	どちらも「それる」の意
26	イ	「及第」⇔「落第」の意
27	ウ	「はっきりと＋存在する」と解釈する
28	ア	どちらも「病気」の意
29	イ	「おくる」⇔「返す」の意
30	エ	「守って死ぬ←教えを」と解釈する
31	エ	「上げる←棟を」と解釈する
32	ア	どちらも「受ける」の意
33	イ	「寛容」⇔「厳しい」の意
34	ウ	「公の＋従事者」と解釈する
35	イ	「年上」⇔「年下」の意
36	エ	「遵守する←法律を」と解釈する
37	エ	「叙述する←事実を」と解釈する
38	イ	「需要」⇔「供給」の意
39	イ	「たて」⇔「よこ」の意
40	オ	「ない←偏りが」と解釈する
41	イ	「うまい」⇔「つたない」の意
42	ア	どちらも「似せる」の意
43	イ	「けなす」⇔「ほめる」の意
44	エ	「述べる←感情を」と解釈する
45	エ	「懐かしむ←昔を」と解釈する
46	イ	「風雅」⇔「卑俗」の意
47	イ	「任じる」⇔「免じる」の意
48	ウ	「けがれない＋お金」と解釈する

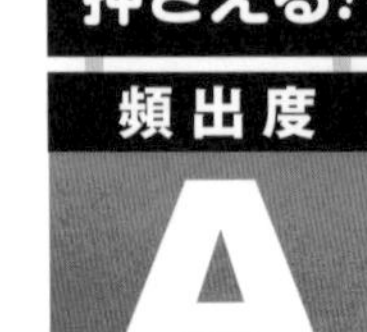

熟語の構成――②

目標正答率 80%

／48

※熟語の構成には次のようなものがある。

ア 同じような意味の漢字を重ねたもの（例 岩石）
イ 反対または対応の意味を表す字を重ねたもの（例 高低）
ウ 上の字が下の字を修飾しているもの（例 洋画）
エ 下の字が上の字の目的語・補語となっているもの（例 着席）
オ 上の字が下の字の意味を打ち消しているもの（例 非常）

次の熟語はそのどれに当たるか、記号を記せ。

□1 衆寡
□2 不浄
□3 享楽
□4 殉難
□5 赴任
□6 核心
□7 懐郷
□8 貴賓
□9 報酬
□10 露顕
□11 分析
□12 妄想
□13 弔辞
□14 財閥
□15 忍苦

標準解答

1 イ 「多数」⇔「少数」の意
2 オ 「ない↑清らかで」と解釈する
3 エ 「受ける↑楽しみを」と解釈する
4 エ 「犠牲にする↑危難のために」と解釈する
5 エ 「おもむく↑任地へ」と解釈する
6 ア どちらも「中心」の意
7 エ 「懐かしむ↑ふるさとを」と解釈する
8 ウ 「身分が高い＋客」と解釈する
9 ア どちらも「むくいる」の意
10 ア どちらも「あらわれる」の意
11 ア どちらも「分けて考える」の意
12 ウ 「むやみに＋想像する」と解釈する
13 ウ 「弔う＋ことば」と解釈する
14 ウ 「金銭を扱う＋一族」と解釈する
15 エ 「我慢する↑苦しみを」と解釈する

□16 贈賄
□17 覇権
□18 点滅
□19 破戒
□20 赦免
□21 禁錮
□22 功罪
□23 不祥
□24 諭旨
□25 随意
□26 還元

□27 誓詞
□28 環礁
□29 愚痴
□30 抑揚
□31 剰余
□32 玩弄
□33 順逆
□34 旦夕
□35 懇望
□36 奇遇
□37 扶助

□38 枢要
□39 叙景
□40 疎密
□41 危惧
□42 籠城
□43 隠蔽
□44 未了
□45 旋風
□46 渉猟
□47 紡績
□48 謙遜

16 エ 「贈る←賄賂を」と解釈する
17 ウ 「覇者の＋権力」と解釈する
18 イ 「電流を流す」⇔「電流を切る」の意
19 エ 「破る←戒（いましめ）を」と解釈する
20 ア どちらも「まぬかれる」の意
21 ア どちらも「とじこめる」の意
22 イ 「功績」⇔「罪」の意
23 オ 「ない←めでたく」と解釈する
24 エ 「諭す←内容を」と解釈する
25 エ 「したがう←思いに」と解釈する
26 エ 「もどす←元に」と解釈する

27 ウ 「誓いの＋ことば」と解釈する
28 ウ 「輪になった＋さんご礁」と解釈する
29 ア どちらも「おろか」の意
30 イ 「さげる」⇔「あげる」の意
31 ア どちらも「あまる」の意
32 ア どちらも「もてあそぶ」の意
33 イ 「順に」⇔「逆に」の意
34 イ 「朝」⇔「晩」の意
35 ウ 「心から＋望む」と解釈する
36 ウ 「思いがけず＋出あう」と解釈する
37 ア どちらも「たすける」の意

38 ア どちらも「中心的な部分」の意
39 エ 「文章にする←景色を」と解釈する
40 イ 「あらい」⇔「こまかい」の意
41 ア どちらも「おそれる」の意
42 エ 「籠もる←城に」と解釈する
43 ア どちらも「かくす」の意
44 オ 「まだしていない←終わることを」と解釈する
45 ウ 「ぐるぐる回る＋風」と解釈する
46 ウ 「歩き回って＋さがし求める」と解釈する
47 ア どちらも「つむぐ」の意
48 ア どちらも「へりくだる」の意

熟語の構成――③

目標正答率80%

／81

※熟語の構成には次のようなものがある。

ア　同じような意味の漢字を重ねたもの（例　岩石）
イ　反対または対応の意味を表す字を重ねたもの（例　高低）
ウ　上の字が下の字を修飾しているもの（例　洋画）
エ　下の字が上の字の目的語・補語となっているもの（例　着席）
オ　上の字が下の字の意味を打ち消しているもの（例　非常）

次の熟語はそのどれに当たるか、記号を記せ。

□1 隠顕
□2 余韻
□3 未到
□4 迎賓
□5 未来
□6 座礁
□7 争覇
□8 英俊
□9 禍根
□10 尼僧
□11 未詳
□12 克己
□13 寡少
□14 伴侶
□15 無為

標準解答

1 イ　「隠れる」⇔「あらわれる」の意
2 ウ　「残る＋音」と解釈する
3 オ　「まだしていない↑到達することを」と解釈する
4 エ　「迎える↑賓客を」と解釈する
5 オ　「まだしていない↑来ることが」と解釈する
6 エ　「乗り上げる↑暗礁（＝岩）に」と解釈する
7 エ　「争う↑覇を」と解釈する
8 ア　どちらも「すぐれる」の意
9 ウ　「わざわいとなる＋根本原因」と解釈する
10 ウ　「出家した女性の＋僧」と解釈する
11 オ　「まだしていない↑詳しくわかることを」と解釈する
12 エ　「打ちかつ↑己に」と解釈する
13 ア　どちらも「すくない」の意
14 ア　どちらも「仲間」の意
15 オ　「ない↑なすことが」と解釈する

□ 16 懇請
□ 17 釣果
□ 18 汎用
□ 19 傲慢
□ 20 叱責
□ 21 往還
□ 22 無粋
□ 23 因果
□ 24 逐次
□ 25 銃創
□ 26 解剖

□ 27 弊風
□ 28 叙任
□ 29 漆黒
□ 30 未遂
□ 31 不屈
□ 32 尚早
□ 33 徹底
□ 34 披露
□ 35 免疫
□ 36 懲悪
□ 37 画趣

□ 38 閑職
□ 39 嫌忌
□ 40 旅愁
□ 41 出納
□ 42 頻度
□ 43 明滅
□ 44 不穏
□ 45 退廷
□ 46 孤塁
□ 47 授受
□ 48 把握

16 ウ 「心から＋請う」と解釈する
17 ウ 「釣りの＋成果」と解釈する
18 ウ 「広く＋用いる」と解釈する
19 ア どちらも「おごりたかぶる」の意
20 ア どちらも「とがめる」の意
21 イ 「いく」⇔「かえる」の意
22 オ 「ない←粋で」と解釈する
23 イ 「原因」⇔「結果」の意
24 エ 「追って←次を」と解釈する
25 ウ 「銃弾によって受けた＋傷」と解釈する
26 ア どちらも「ばらばらにする」の意

27 ウ 「悪い＋風習」と解釈する
28 エ 「授ける←官位を」と解釈する
29 ウ 「漆をぬったように＋黒い」と解釈する
30 オ 「まだ～ない←遂げる」と解釈する
31 オ 「ない←屈することが」と解釈する
32 ウ 「まだ＋早い」と解釈する
33 エ 「貫き徹(とお)る←底まで」と解釈する
34 ア どちらも「あらわになる」の意
35 エ 「免れる←疫病を」と解釈する
36 エ 「懲らしめる←悪を」と解釈する
37 ウ 「絵のような＋趣」と解釈する

38 ウ 「暇な＋職務」と解釈する
39 ア どちらも「きらう」の意
40 ウ 「旅先での＋愁い」と解釈する
41 イ 「出す」⇔「納める」の意
42 ウ 「物事が繰り返す＋度合い」と解釈する
43 イ 「あかるくなる」⇔「消える」の意
44 オ 「ない←穏やかで」と解釈する
45 エ 「退出する←法廷から」と解釈する
46 ウ 「孤立した＋とりで」と解釈する
47 イ 「授ける」⇔「受ける」の意
48 ア どちらも「つかむ」の意

□ 49 叙勲
□ 50 罷業
□ 51 陳述
□ 52 疲弊
□ 53 存廃
□ 54 玩具
□ 55 憧憬
□ 56 遡行
□ 57 憂患
□ 58 折衷
□ 59 無尽

□ 60 具備
□ 61 違背
□ 62 抹茶
□ 63 拙劣
□ 64 暗礁
□ 65 盲信
□ 66 未婚
□ 67 痛快
□ 68 彼我
□ 69 真摯
□ 70 和睦

□ 71 不朽
□ 72 糾弾
□ 73 来賓
□ 74 義憤
□ 75 河畔
□ 76 無謀
□ 77 出廷
□ 78 未踏
□ 79 賠償
□ 80 未刊
□ 81 無恥

49 エ 「授ける←勲章を」と解釈する
50 エ 「やめる←仕事を」と解釈する
51 ア どちらも「口で述べる」の意
52 ア どちらも「疲れる」の意
53 イ 「存続する」⇔「廃する」の意
54 ウ 「遊ぶ+道具」と解釈する
55 ア どちらも「憧れる」の意
56 ウ 「さかのぼって+行く」と解釈する
57 ア どちらも「心配する」の意
58 エ 「折る←ほどよいところで」と解釈する
59 オ 「ない←つきることが」と解釈する

60 ア どちらも「そなえる」の意
61 ア どちらも「そむく」の意
62 ウ 「臼などでひいた+茶」と解釈する
63 ア どちらも「おとる」の意
64 ウ 「暗くて隠れている+岩礁」と解釈する
65 ウ 「訳もわからず+信じる」と解釈する
66 オ 「まだしていない←結婚することを」と解釈する
67 ウ 「いたく(非常に)+快い」と解釈する
68 イ 「相手」⇔「自分」の意
69 ア どちらも「まじめ」の意
70 ア どちらも「仲よくする」の意

71 オ 「ない←朽ちることが」と解釈する
72 ア どちらも「相手を責める」の意
73 ウ 「来た+客」と解釈する
74 ウ 「正義感からくる+憤り」と解釈する
75 ウ 「河の+ほとり」と解釈する
76 オ 「ない←よく考えることが」と解釈する
77 エ 「出る←法廷に」と解釈する
78 オ 「まだしていない←踏み入れることを」と解釈する
79 ア どちらも「つぐなう」の意
80 オ 「まだない←発刊が」と解釈する
81 オ 「ない←恥じることが」と解釈する

合否の分かれ目！

重要問題 1617

第2章

頻出度

B

合否の分かれ目！

頻出度

B

読み ─ ①

※次の──線の読みをひらがなで記せ。

□1 **惰弱**な肉体を鍛え直す。
□2 役所で**煩雑**な手続きを強いられた。
□3 現場の状況を正確に**把握**する。
□4 **躍起**になって問題を解決した。
□5 プールの水を**滅菌**処理する。
□6 **在野**の立場から政策を提案する。
□7 新しい派閥の**勃興**に驚いた。
□8 評判の女優が**艶然**とほほえんだ。
□9 風鈴の音色が**涼感**を誘う。
□10 良縁に恵まれ生涯の**伴侶**を得た。
□11 老練な交渉相手に**籠絡**される。
□12 敷居の**溝**にほこりがたまっている。

□13 恩師から励ましの言葉を**頂戴**する。
□14 条件を巡って交渉が**難渋**する。
□15 **拳法**の試合で見事な技を披露する。
□16 **懐郷**の念を禁じ得ない。
□17 議場から**憤然**と立ち去った。
□18 **論旨**が明快で読みやすい文章だ。
□19 保育士が子供の絵を**褒**めた。
□20 世の中の善悪を**懇々**と説いた。
□21 昔から交通の**要衝**として知られる。
□22 春の**息吹**が感じられる。
□23 営業を当面**自粛**する。
□24 見事な**築山**のある日本庭園だ。

目標正答率 95%

／56

標準解答

1 だじゃく
2 はんざつ
3 はあく
4 やっき
5 めっきん
6 ざいや
7 ぼっこう
8 えんぜん
9 りょうかん
10 はんりょ
11 ろうらく
12 みぞ
13 ちょうだい
14 なんじゅう
15 けんぽう
16 かいきょう
17 ふんぜん
18 ろんし
19 ほ
20 こんこん
21 ようしょう
22 いぶき
23 じしゅく
24 つきやま

□25 軽はずみな発言が**舌禍**を招いた。
□26 **春宵**のひと時は千金に値する。
□27 **喪心**したように立ち尽くす。
□28 成熟した社会が**醸成**される。
□29 醜態を演じ**汗顔**の至りだ。
□30 上司と部下との**板挟**みに陥る。
□31 疲れた**四肢**をマッサージで癒す。
□32 天井まである**書棚**を据え付ける。
□33 **堕落**した生活習慣を改める。
□34 **醜**い骨肉の争いに手を焼く。
□35 **汚**れを知らない子供のようだ。
□36 **野良**仕事でひどく疲れた。
□37 **湯治**の目的で温泉に出かける。
□38 罪を犯した被告人に**説諭**した。
□39 **索引**から目的のページを探す。
□40 冬の朝、校庭に**霜柱**ができる。

□41 人事異動で閑職に**左遷**された。
□42 ピアノの美しい**旋律**に聞き入った。
□43 長男に**家督**を譲り隠居する。
□44 知人が**亡**くなり葬儀に駆けつける。
□45 神社で**平癒**祈願のお守りを買う。
□46 内部の対立が**露呈**した。
□47 夏祭りで**山車**を引いて練り歩く。
□48 大手の**寡占**が進む業界だ。
□49 両者が互いに**覇**を争う決勝戦だ。
□50 ぞうりの**鼻緒**がぷつりと切れた。
□51 長年にわたる**迷妄**を断ち切った。
□52 **砕石**が道に散らばっている。
□53 先を**見据**えて手を打っておく。
□54 地震で**激甚**な被害が出ている。
□55 池の水がすっかり**凍**っている。
□56 著名な**歌詠**みの詩集を鑑賞する。

25 ぜっか
26 しゅんしょう
27 そうしん
28 じょうせい
29 かんがん
30 いたばさ
31 しし
32 しょだな
33 だらく
34 みにく
35 けが
36 のら
37 とうじ
38 せつゆ
39 さくいん
40 しもばしら
41 させん
42 せんりつ
43 かとく
44 な
45 へいゆ
46 ろてい
47 だし
48 かせん
49 は
50 はなお
51 めいもう
52 さいせき
53 みす
54 げきじん
55 こお
56 うたよ

合否の分かれ目！
頻出度
B
読み―②

※次の――線の読みをひらがなで記せ。

□1 口数が少なく**寡欲**な人だ。
□2 **渉外**の担当者と名刺を交換した。
□3 工期が迫り現場を**督励**した。
□4 政界と財界の**癒着**が指摘される。
□5 反対派の人たちを**懐柔**する。
□6 俳優の**滑稽**な演技に笑いが起こる。
□7 実家は**窯業**を営んでいる。
□8 中身を重視し外見の**美醜**は不問だ。
□9 敵の襲来に**泡**を食って逃げ出した。
□10 身を**砕**いての看病に頭が下がる。
□11 旧友の死に**哀悼**の意を表する。
□12 **漆器**の重箱を戸棚にしまう。
□13 赤ん坊の笑顔に心が**和**む。
□14 **摩滅**したタイヤを交換した。
□15 まじめ**且**つ機転がきく店員だ。
□16 **侮辱**的な発言の撤回を求めた。
□17 **紡績**業は飛躍的な発展を遂げた。
□18 **備忘録**としてノートに書き留める。
□19 大小無数の**沼沢**が点在している。
□20 地元のもち米を使った**煎餅**を売る。
□21 長引く不況で**閉塞**感が漂っている。
□22 **祝言**の日は大安吉日だ。
□23 体操選手の柔軟な**肢体**に憧れる。
□24 劇団を**主宰**し脚本も手がける。

目標正答率 95%

／56

標準解答

1 かよく
2 しょうがい
3 とくれい
4 ゆちゃく
5 かいじゅう
6 こっけい
7 ようぎょう
8 びしゅう
9 あわ
10 くだ
11 あいとう
12 しっき
13 なご
14 まめつ
15 か
16 ぶじょく
17 ぼうせき
18 びぼうろく
19 しょうたく
20 せんべい
21 へいそく
22 しゅうげん
23 したい
24 しゅさい

□ 25 カーテンで室内を**遮光**する。
□ 26 友人の死を悼んで**弔問**した。
□ 27 膨れあがった債務を**償却**する。
□ 28 世を捨て仏門に**帰依**する。
□ 29 手紙の冒頭に**謹啓**と記す。
□ 30 消費者から**辛辣**な批判を受けた。
□ 31 新入社員の姿が**初々**しい。
□ 32 裁判で証言を**拒**んだ。
□ 33 休日は**惰眠**をむさぼっている。
□ 34 一つ一つ**丁寧**に仕上げた。
□ 35 規則に違反して**叱責**を受けた。
□ 36 **冥土**の土産に世界一周旅行に出た。
□ 37 世論に**迎合**する政治家ばかりだ。
□ 38 神社に**氏神**様がまつられている。
□ 39 風雨に**翻弄**され歩くのも困難だ。
□ 40 厳しい**年貢**が領民の反乱を招いた。

□ 41 患者に**福音**をもたらす特効薬だ。
□ 42 **罪業**を終生にわたり反省した。
□ 43 **空漠**とした議論が繰り返される。
□ 44 報道陣が**好餌**に食いついた。
□ 45 近代政治の**病弊**を暴く。
□ 46 送られてきた文書を**披見**する。
□ 47 日だまりの公園で**憩**う。
□ 48 海外の哲学書を**邦訳**する。
□ 49 **壮行**会を開いて選手を激励する。
□ 50 年末で業務が**煩忙**を極める。
□ 51 世情を反映した**川柳**を詠む。
□ 52 鉄棒の**懸垂**運動で腕力を鍛える。
□ 53 **累計**の販売額が目標を上回った。
□ 54 事故の影響で記憶**喪失**になる。
□ 55 **解熱剤**が効いて容態が落ち着いた。
□ 56 空は次第に**暮色**に包まれた。

25 しゃこう
26 ちょうもん
27 しょうきゃく
28 きえ
29 きんけい
30 しんらつ
31 ういうい
32 こば
33 だみん
34 ていねい
35 しっせき
36 めいど
37 げいごう
38 うじがみ
39 ほんろう
40 ねんぐ

41 ふくいん
42 ざいごう
43 くうばく
44 こうじ
45 びょうへい
46 ひけん
47 いこ
48 ほうやく
49 そうこう
50 はんぼう
51 せんりゅう
52 けんすい
53 るいけい
54 そうしつ
55 げねつざい
56 ぼしょく

合否の分かれ目！
頻出度
B

読み——③

※次の——線の読みをひらがなで記せ。

□1 その件は**寡聞**にして存じません。
□2 掲載号を執筆者に**謹呈**する。
□3 五年後の再会を**誓**い合う。
□4 地震で道路の一部が**陥没**した。
□5 労働組合は朝から**罷業**を決行した。
□6 激しい雨で視界が**遮**られている。
□7 図書館で参考**文献**を入手する。
□8 **駄文**で要点がつかみにくい。
□9 **勇壮**な祭りでにぎわった。
□10 **賢哲**の人物を重役に据える。
□11 仕事の合間に**煎茶**で一服する。
□12 けがで大会連覇の夢が**砕**かれた。
□13 長年の圧政に民衆が**蜂起**した。
□14 役員会議が**深更**まで続いた。
□15 一時の快楽を求めて酒に**惑溺**する。
□16 師匠の忠言を心に**銘記**する。
□17 大嵐を**怨霊**のたたりと恐れる。
□18 **隠蔽**工作が行われた疑いがある。
□19 読経のお礼に、お**布施**を渡す。
□20 読むに**堪**えない文章だ。
□21 相手の意見を**肯定**する。
□22 規則正しい生活を**実践**する。
□23 **升目**の中に文字を収める。
□24 **豊沃**な畑で野菜を育てる。

目標正答率 95%
／56

標準解答

1 かぶん
2 きんてい
3 ちか
4 かんぼつ
5 ひぎょう
6 さえぎ
7 ぶんけん
8 だぶん
9 ゆうそう
10 けんてつ
11 せんちゃ
12 くだ
13 ほうき
14 しんこう
15 わくでき
16 めいき
17 おんりょう
18 いんぺい
19 ふせ
20 た
21 こうてい
22 じっせん
23 ますめ
24 ほうよく

□25 派閥の**領袖**同士が会談を行った。
□26 **妖艶**な演技を観衆に披露する。
□27 学問成就のご**利益**を授かる。
□28 息子の食欲はすこぶる**旺盛**だ。
□29 戦争が**勃発**して国民が混乱した。
□30 墓参して先祖を**供養**する。
□31 予防接種で**免疫**力をつける。
□32 本文に写真を**挿入**する。
□33 目的もなく**惰性**で生きている。
□34 会社の経営に**辣腕**を振るう。
□35 川底に土砂が**堆積**している。
□36 戦時中、**拷問**が行われた部屋だ。
□37 **苦吟**の末にようやく完成した。
□38 酒に酔って**醜態**をさらした。
□39 父の趣味は**盆栽**の手入れだ。
□40 弱い者いじめは**唾棄**すべき行為だ。

□41 人口が都市部に**偏在**する。
□42 検診で**潰瘍**の存在が確認された。
□43 紅葉が大層美しく、まさに**錦秋**だ。
□44 洪水で**甚大**な被害を受けた。
□45 **厄介**な問題に巻き込まれる。
□46 隣国との争いが**苛烈**を極めた。
□47 **鬱屈**した心情を俳句に吐露する。
□48 漢字の成り立ちに**造詣**が深い。
□49 あえて困難に**挑**む。
□50 **僅少**の差で競り負けて二位だった。
□51 **口幅**ったいことを申し上げました。
□52 事故の被害者の損害を**補償**する。
□53 **爽涼**な夕風が部屋を吹き抜けた。
□54 合格を祈って**験**を担ぐ。
□55 **俊敏**さと器用さを備えた選手だ。
□56 現在の心境を**便箋**にしたためる。

25 りょうしゅう
26 ようえん
27 りやく
28 おうせい
29 ぼっぱつ
30 くよう
31 めんえき
32 そうにゅう
33 だせい
34 らつわん
35 たいせき
36 ごうもん
37 くぎん
38 しゅうたい
39 ぼんさい
40 だき
41 へんざい
42 かいよう
43 きんしゅう
44 じんだい
45 やっかい
46 かれつ
47 うっくつ
48 ぞうけい
49 いど
50 きんしょう
51 くちはば
52 ほしょう
53 そうりょう
54 げん
55 しゅんびん
56 びんせん

頻出度 **B**

読み―④

※次の――線の読みをひらがなで記せ。

□1 注目の決勝戦の**火蓋**が切られた。
□2 領主の慈悲で罪人が**赦免**された。
□3 口角**泡**を飛ばして議論する。
□4 犯罪組織が**賭博**で悪銭を得る。
□5 後継者を巡って**臆説**が飛び交う。
□6 事故現場の惨状に**戦慄**が走った。
□7 当初の**狙**い通りに工事が進んだ。
□8 **脚立**に乗って電球を取り替える。
□9 夏山の一角に**雪渓**が広がっている。
□10 **籠**の小鳥が餌をついばむ。
□11 反対派から口汚く**罵**られた。
□12 **長唄**の師匠の下で練習に励む。
□13 風**薫**る五月の陽気に浮かれる。
□14 美しい漢詩の**韻律**を玩味する。
□15 御**清祥**の段お慶び申し上げます。
□16 懐石料理を前に**生唾**を飲み込む。
□17 自然豊かな**沃野**が広がっている。
□18 交通事故で**椎間板**が損傷する。
□19 壁面から古い塗料が**剥落**する。
□20 決定した方針は**首肯**しがたい。
□21 **細緻**な筆遣いが絶妙な書だ。
□22 文章が**軟**らかくて読みやすい。
□23 表面を**艶消**し塗装で仕上げる。
□24 **解毒**剤を服用して応急措置をする。

標準解答

1 ひぶた
2 しゃめん
3 あわ
4 とばく
5 おくせつ
6 せんりつ
7 ねら
8 きゃたつ
9 せっけい
10 かご
11 ののし
12 ながうた
13 かお
14 いんりつ
15 せいしょう
16 なまつば
17 よくや
18 ついかんばん
19 はくらく
20 しゅこう
21 さいち
22 やわ
23 つやけ
24 げどく

目標正答率
95%

／56

□25 神をも**畏**れぬ悪行を働く。
□26 紫色に**腫**れた患部を冷やす。
□27 分別を失って**拳**を振り上げる。
□28 炎天下に**苛酷**な試合が展開される。
□29 失業で**窮乏**生活を余儀なくされる。
□30 友人の思いやりが身に**染**みる。
□31 **煩**わしい仕事がようやく片付いた。
□32 実力が出せず**惨**めな結果だった。
□33 差し**障**りがあって行けなくなった。
□34 対立している勢力を**粛清**する。
□35 **貴賓**席には要人が占めていた。
□36 **諸侯**らが群雄割拠している。
□37 古びた包丁が**刃**こぼれする。
□38 年々、赤字が**累積**している。
□39 **辛**うじて約束の時間に間に合った。
□40 **篤志家**として尊敬されている。

□41 思いがけない**災禍**に出くわした。
□42 ピアノの腕前を**披露**する。
□43 景気に**顕著**な変化が認められた。
□44 未知の山の登頂に**挑**む。
□45 **疫病神**扱いされて気の毒だ。
□46 ボートで無人島を**探索**する。
□47 新しい政治思想を**鼓吹**する。
□48 人の上に立つべき**剛腹**な男だ。
□49 **謹**んでお礼申し上げます。
□50 敵を一挙に**粉砕**した。
□51 レンコンはハスの**地下茎**だ。
□52 特産品のお**相伴**にあずかった。
□53 **真偽**のほどはいまだ不明だ。
□54 **岬**の先端に立って海を眺める。
□55 隣に百歳の**老翁**が住んでいる。
□56 皆に**懇願**されて会長を引き受けた。

25 おそ
26 は
27 こぶし
28 かこく
29 きゅうぼう
30 し
31 わずら
32 みじ
33 さわ
34 しゅくせい
35 きひん
36 しょこう
37 は
38 るいせき
39 かろ
40 とくしか
41 さいか
42 ひろう
43 けんちょ
44 いど
45 やくびょうがみ
46 たんさく
47 こすい
48 ごうふく
49 つつし
50 ふんさい
51 ちかけい
52 しょうばん
53 しんぎ
54 みさき
55 ろうおう
56 こんがん

合否の分かれ目！
頻出度
B
読み⑤

目標正答率 95%
／56

※次の——線の読みをひらがなで記せ。

□1 悔しさで思わず**唇**をかんだ。
□2 東の空に**下弦**の月が見える。
□3 当時の記憶が**定**かでない。
□4 境界にブロックで**塀**を作る。
□5 君主が反逆者の**凶刃**に倒れた。
□6 ドアの**隙間**から冷気が入ってくる。
□7 **雄々**しい態度が彼の魅力だ。
□8 政治家への**献金**が発覚する。
□9 冷夏で野菜の値段が**急騰**した。
□10 **吟味**した素材で料理を作る。
□11 交渉の末、労使が**妥結**した。
□12 **繭**から生糸をとる。
□13 汚職事件で政界から**放逐**された。
□14 **安閑**としていると出し抜かれる。
□15 暴力**撲滅**運動が行われている。
□16 調理中に鍋を**焦**がした。
□17 あいつとは昔から**犬猿**の仲だ。
□18 **己**の足元を固めよと言われた。
□19 従来の俗説を**喝破**した。
□20 相手の話を**柳**に風と受け流す。
□21 今こそ**禍根**を断たねばならない。
□22 告別式で**弔辞**を読み上げた。
□23 浜辺でギターを手に取って**爪弾**く。
□24 **迅速**な対応が功を奏した。

標準解答

1 くちびる
2 かげん
3 さだ
4 へい
5 きょうじん
6 すきま
7 おお
8 けんきん
9 きゅうとう
10 ぎんみ
11 だけつ
12 まゆ
13 ほうちく
14 あんかん
15 ぼくめつ
16 こ
17 けんえん
18 おのれ
19 かっぱ
20 やなぎ
21 かこん
22 ちょうじ
23 つまび
24 じんそく

□25 **殉職**した人たちを墓参する。
□26 **急逝**した学生時代の恩師を悼む。
□27 歯並びを**矯正**する。
□28 湖面をヨットが**帆走**する。
□29 教科書を**満遍**なく復習する。
□30 作家の新作が**酷評**された。
□31 技量の**巧拙**より熱意が大事だ。
□32 彼は自己**顕示**欲が強い。
□33 平城京の**遷都**から千三百年が経つ。
□34 極楽往生を望んで**功徳**を積む。
□35 国の平和と**安泰**を望む。
□36 学長の演説に**感銘**を受ける。
□37 上っ**面**だけ見て判断する。
□38 軽く**晩酌**して寝床に入った。
□39 祭礼の**稚児**行列が町を練り歩く。
□40 **堕**する一方の生活を反省する。

□41 勝つか負けるかの**瀬戸際**だ。
□42 行方不明者を手分けして**捜**す。
□43 完成した日本画に**落款**を押す。
□44 **滋養**に富む食材をいただいた。
□45 子どもが生まれて家が**手狭**になる。
□46 **空疎**な論争が繰り広げられた。
□47 小学校で美術の**教諭**をしている。
□48 受賞者にトロフィーが**進呈**された。
□49 病院で人工**透析**を受ける。
□50 際限もなく**駄弁**を弄した。
□51 悪貨は良貨を**駆逐**する。
□52 時間がなくて**焦**った。
□53 **漆**で手がかぶれてしまった。
□54 運動靴に**履**き替えてテニスをする。
□55 校歌を**斉唱**し校旗を掲げる。
□56 **悠久**の歴史にあこがれを抱く。

25 じゅんしょく
26 きゅうせい
27 きょうせい
28 はんそう
29 まんべん
30 こくひょう
31 こうせつ
32 けんじ
33 せんと
34 くどく
35 あんたい
36 かんめい
37 つら
38 ばんしゃく
39 ちご
40 だ
41 せとぎわ
42 さが
43 らっかん
44 じよう
45 てぜま
46 くうそ
47 きょうゆ
48 しんてい
49 とうせき
50 だべん
51 くちく
52 あせ
53 うるし
54 は
55 せいしょう
56 ゆうきゅう

合否の分かれ目！
頻出度
B

書き取り — ①

目標正答率 85%
／56

※ 次の——線のカタカナを漢字に直せ。

□ 1 大部屋に集まり**ザコ**寝する。
□ 2 **ワンガン**地域の地質調査を行った。
□ 3 薪を**ダンロ**に投げ入れる。
□ 4 優雅な気品が見る人を**ミワク**した。
□ 5 先生の**クチグセ**が耳に残る。
□ 6 風呂の湯が**ワ**くまで時間がかかる。
□ 7 **ユウカン**な行動で人命を救助した。
□ 8 雪山で登山者が**ソウナン**する。
□ 9 葉が落ちて木が**マルハダカ**だ。
□ 10 実力に合った**ショグウ**を受ける。
□ 11 友人の本を他人に**マタガ**しした。
□ 12 大成して故郷に**ニシキ**を飾る。
□ 13 初志を**ツラヌ**く姿勢が大切だ。
□ 14 ガスの**セン**を閉めて外出する。
□ 15 競技の途中で**キケン**する。
□ 16 **マンゲキョウ**の美しさに心酔する。
□ 17 歴史の年号を**カンペキ**に覚える。
□ 18 有害物質を**ゲドク**する。
□ 19 資金が底を突き経営が**ハタン**した。
□ 20 健康診断で**シュヨウ**が見つかった。
□ 21 **ユイショ**ある神社に参詣する。
□ 22 物語がいよいよ**カキョウ**に入った。
□ 23 消火活動中に**ジュンシ**した。
□ 24 所得から医療費が**コウジョ**される。

標準解答

1 雑魚
2 湾岸
3 暖炉
4 魅惑
5 口癖
6 沸
7 勇敢
8 遭難
9 丸裸
10 処遇
11 又貸
12 錦
13 貫
14 栓
15 棄権
16 万華鏡
17 完璧
18 解毒
19 破綻
20 腫瘍
21 由緒
22 佳境
23 殉死
24 控除

□ 25 **ケイチョウ**のマナーを学ぶ。

□ 26 **フタ**をして冷蔵庫に保管する。

□ 27 神仏に深く**キエ**している。

□ 28 警察が**シッソウ**者の行方を追う。

□ 29 赤ちゃんに**ウブユ**をつかわせた。

□ 30 **ヤッカイ**な仕事に苦悩する。

□ 31 **イ**の中のかわず大海を知らず。

□ 32 街路樹の桜が**サ**き乱れる。

□ 33 恥の**ウワヌ**り。

□ 34 工場の**テッピ**に施錠して退社する。

□ 35 **カジュウ**を垂らして風味をつける。

□ 36 史上初の**カイキョ**を成しとげる。

□ 37 選手に**バンライ**の拍手を送る。

□ 38 数奇な運命に**ホンロウ**される。

□ 39 相手を**イカク**するような態度をとる。

□ 40 地元の政治家に**ケンキン**する。

□ 41 条約の**ヒジュン**を急ぐ。

□ 42 猛暑で植木の葉が**ナ**えてしまった。

□ 43 足を**ダボク**してあざができた。

□ 44 弟の趣味は**イゴ**だ。

□ 45 **オウヒ**には宝飾品がよく似合う。

□ 46 書類を本物そっくりに**ギゾウ**する。

□ 47 収集した古書の一部が**サンイツ**した。

□ 48 食品を**スズ**しい場所で保管する。

□ 49 **キヒン**席には要人が占めていた。

□ 50 猫は**ツメ**を研ぐ習性がある。

□ 51 芋を**ツブ**して下ごしらえをする。

□ 52 **カメ**が岩の上で甲羅干しをする。

□ 53 人を**ウラヤ**む前に自分が努力する。

□ 54 水道工事のために道路を**フサ**ぐ。

□ 55 **バンジ**、疎漏なくやり遂げる。

□ 56 冒険家が**ドウクツ**を探検する。

25 慶弔
26 蓋
27 帰依
28 失踪
29 産湯
30 厄介
31 井
32 咲
33 上塗
34 鉄扉
35 果汁
36 快挙
37 万雷
38 翻弄
39 威嚇
40 献金
41 批准
42 萎
43 打撲
44 囲碁
45 王妃
46 偽造
47 散逸
48 涼
49 貴賓
50 爪
51 潰
52 亀
53 羨
54 塞
55 万事
56 洞窟

合否の分かれ目！

頻出度

B

書き取り―②

目標正答率 85%

／56

※次の――線のカタカナを漢字に直せ。

□1 友人の死を悼んでチョウモンした。
□2 与えられた任務をカンスイした。
□3 地震で壁にキレツが走った。
□4 足をダボクして倒れ込んだ。
□5 往年の歌手の人気がサイネンする。
□6 決勝戦を来週にヒカえる。
□7 先生がごソウケンで何よりだ。
□8 部内で意思のソツウを図る。
□9 交通違反でケンキョする。
□10 選手が今季限りでユウタイする。
□11 カマを掛けて本音を聞き出す。
□12 岩盤を火薬でフンサイする。
□13 肉をクシに刺して炭火であぶる。
□14 師の一言が心のキンセンに触れる。
□15 スイトウを持って山に登る。
□16 首相カンテイで閣議が開かれる。
□17 山中でシカに遭遇した。
□18 除夜のカネを聞きながら眠る。
□19 売り上げのルイケイを求める。
□20 新しい将棋のコマを買ってもらう。
□21 年初に近くの神社にサンケイした。
□22 天気が良いのでセンタクをした。
□23 ずば抜けた成績に舌をマく。
□24 ミワク的なオペラを拝聴する。

標準解答

1 弔問
2 完遂
3 亀裂
4 打撲
5 再燃
6 控
7 壮健
8 疎通
9 検挙
10 勇退
11 鎌
12 粉砕
13 串
14 琴線
15 水筒
16 官邸
17 鹿
18 鐘
19 累計
20 駒
21 参詣
22 洗濯
23 巻
24 魅惑

□ 25 幼年来の**クチグセ**が直らない。

□ 26 海上**カンタイ**に攻め込まれた。

□ 27 今日の獲物は**ザコ**ばかりだ。

□ 28 大雨で**デイリュウ**が谷を下る。

□ 29 彼に逆らうとは**グ**の骨頂だ。

□ 30 ファインプレーに場内が**ワ**いた。

□ 31 敵の攻撃に**ユウカン**に立ち向かう。

□ 32 自転車と出会い頭に**ショウトツ**した。

□ 33 **イナホ**の実った田園風景が美しい。

□ 34 言葉を**ニゴ**して追及を免れる。

□ 35 **アイソ**のいい店員に好感を抱く。

□ 36 **ケイコク**の雄大な景観が広がる。

□ 37 不法な物品を**オウシュウ**する。

□ 38 **ナワ**を張って敵の侵入を防ぐ。

□ 39 財界の**ジュウチン**として活躍した。

□ 40 相手への**ゾウオ**をむき出しにする。

□ 41 **シモバシラ**が立つ寒い朝だ。

□ 42 画像が**アラ**くて識別できない。

□ 43 彼は**シュンジュウ**に富む青年だ。

□ 44 暖炉の**ホノオ**がゆらめいている。

□ 45 数々の名歌がここで**ヨ**まれてきた。

□ 46 スポーツを通して精神を**キタ**える。

□ 47 両親が上京の**ムネ**を伝えてきた。

□ 48 バッターから次々と三振を**ウバ**う。

□ 49 自己啓発を**ショウレイ**する。

□ 50 増大する経費の**サクゲン**が課題だ。

□ 51 仲間を誘い金もうけを**クワダ**てる。

□ 52 万事**イロウ**のないよう進める。

□ 53 **タクエツ**した推理力を持つ探偵だ。

□ 54 **キッサ**店でコーヒーを飲む。

□ 55 夏は**カイキン**シャツを着用する。

□ 56 趣味の**トウゲイ**で器を作る。

25 口癖
26 艦隊
27 雑魚
28 泥流
29 愚
30 沸
31 勇敢
32 衝突
33 稲穂
34 濁
35 愛想
36 渓谷
37 押収
38 縄
39 重鎮
40 憎悪

41 霜柱
42 粗
43 春秋
44 炎
45 詠
46 鍛
47 旨
48 奪
49 奨励
50 削減
51 企
52 遺漏
53 卓越
54 喫茶
55 開襟
56 陶芸

合否の分かれ目！

頻出度 **B**

書き取り ③

目標正答率85%

／56

※次の――線のカタカナを漢字に直せ。

□1 本物に**コクジ**している複製品だ。

□2 西洋美術に**ゾウケイ**が深い。

□3 **シッペイ**に備えて保険に加入する。

□4 大企業の**サンカ**に吸収された。

□5 らっきょうを**ス**に漬ける。

□6 寺の境内をほうきで**ハ**き清めた。

□7 火力が強すぎて肉が**クロコ**げになる。

□8 建物の賃貸借**ケイヤク**を結ぶ。

□9 宿泊した部屋は海に**ノゾ**んでいた。

□10 議論の**オウシュウ**が激しかった。

□11 **フウサイ**の上がらない亭主だ。

□12 溶けた銅を型に流して仏像を**イ**る。

□13 **オンビン**に取り計らうよう懇願する。

□14 雲行きがだんだんと**アヤ**しくなる。

□15 寄らば**タイジュ**の陰。

□16 内**ブンピツ**の異常を検査する。

□17 ワイシャツの**ソデ**をまくる。

□18 店のネオンが**テンメツ**している。

□19 夕日で空が**シュ**に染まる。

□20 不安が脳裏を**カ**け巡った。

□21 場内に**キンパク**した空気が流れた。

□22 有名な俳優が**ヒゴウ**の死をとげた。

□23 **フンシツ**しないよう金庫に保管した。

□24 **ハダカ**一貫から財を築いた。

標準解答

1 酷似　2 造詣　3 疾病　4 傘下　5 酢　6 掃　7 黒焦　8 契約　9 臨　10 応酬　11 風采　12 鋳

13 穏便　14 怪　15 大樹　16 分泌　17 袖　18 点滅　19 朱　20 駆　21 緊迫　22 非業　23 紛失　24 裸

□25 **ドジョウ**から有害物質が検出される。
□26 神社に絵馬を**ホウノウ**した。
□27 **オウベイ**の文化を取り入れる。
□28 サケの**ランソウ**から筋子を取る。
□29 一円未満の**ハスウ**を切り捨てる。
□30 軽はずみな発言を**コウカイ**する。
□31 昨年の**セツジョク**を果たした。
□32 **ドタンバ**で踏みとどまった。
□33 **ウツワ**に料理を盛り付ける。
□34 結婚披露宴で乾杯の**オンド**を取る。
□35 口角**アワ**を飛ばして激論する。
□36 園児が明るい声で**アイサツ**する。
□37 **ウデ**によりをかけたごちそうだ。
□38 天然**コウボ**を使ったパンだ。
□39 **レイサイ**企業が日本経済を支える。
□40 不審者への注意を**カンキ**する。

□41 運動会で娘の写真を**ト**る。
□42 **ハナムコ**探しに躍起になっている。
□43 二の句が**ツ**げない。
□44 引退試合で**ユウシュウ**の美を飾る。
□45 有名な**チョウコク**家の作品を見る。
□46 **キュウリョウ**地に大学を建設する。
□47 壮麗な**テイタク**の建築が進む。
□48 自分の意志は**スデ**に固まっている。
□49 彼はとうとう本音を**ハ**いた。
□50 会場が大勢の観客で**ウ**まった。
□51 無作為に**チュウシュツ**する。
□52 **バンセツ**を全うするよう心掛ける。
□53 判決を不満として**コウソ**した。
□54 車体を明るい色に**トソウ**する。
□55 **ケッペキ**な性格で知られる教授だ。
□56 一日の野菜の**セッシュ**量が少ない。

25 土壌
26 奉納
27 欧米
28 卵巣
29 端数
30 後悔
31 雪辱
32 土壇場
33 器
34 音頭
35 泡
36 挨拶
37 腕
38 酵母
39 零細
40 喚起

41 撮
42 花婿
43 継
44 有終
45 彫刻
46 丘陵
47 邸宅
48 既
49 吐
50 埋
51 抽出
52 晩節
53 控訴
54 塗装
55 潔癖
56 摂取

合否の分かれ目！
頻出度
B

書き取り―④

目標正答率85%

／56

※次の――線のカタカナを漢字に直せ。

□1 取材を重ねて真相を**サグ**る。
□2 最近の景気は**チンタイ**ぎみだ。
□3 粘り強く**コウショウ**を続ける。
□4 **ホンポウ**初公開の映画が話題だ。
□5 ご意見を**チョウダイ**しました。
□6 電車の騒音が**コマク**に響いた。
□7 **カセン**の事故で電車が止まった。
□8 **テツビン**で湯を沸かす。
□9 **ユカイ**な話に場がなごんだ。
□10 **ダンチョウ**の思いで諦める。
□11 受賞者を招き**シュクエン**を開く。
□12 怪談を聞いて鳥**ハダ**が立った。

□13 外では**ヒサメ**が降っている。
□14 **ジゴク**で仏に会う。
□15 相手を立てて**ジョウホ**する。
□16 結婚式で**シンセキ**が集まった。
□17 コアラは**ユウタイルイ**の一種だ。
□18 退社前に机の上を**セイトン**する。
□19 問題の**カクシン**をつく指摘だ。
□20 金の**モウジャ**のような人物だ。
□21 **アゴ**の先から汗が滴り落ちる。
□22 **ゴウカ**なホテルで結婚式を挙げる。
□23 帆船が**アラシ**に遭い難破した。
□24 **タイガン**の火事を見物する。

標準解答

1 探
2 沈滞
3 交渉
4 本邦
5 頂戴
6 鼓膜
7 架線
8 鉄瓶
9 愉快
10 断腸
11 祝宴
12 肌

13 氷雨
14 地獄
15 譲歩
16 親戚
17 有袋類
18 整頓
19 核心
20 亡者
21 顎
22 豪華
23 嵐
24 対岸

□25 軽く**エシャク**して部屋に入る。
□26 **フウキ**な家柄を誇る。
□27 **コフン**から祭具が発掘された。
□28 秋の味覚を**マンキツ**している。
□29 卒業から幾**セイソウ**を経た。
□30 主張の**ヘダ**たりがうまらない。
□31 準備体操を怠り**ネンザ**した。
□32 選挙で政権**ダッカン**を果たした。
□33 **ケイショウ**を略して名前を呼ぶ。
□34 **タナ**からぼたもち。
□35 検査で肺の**シッカン**が疑われる。
□36 **ナマビョウホウ**は大けがのもと。
□37 名は**タイ**をあらわす。
□38 コーチから監督に**ショウカク**する。
□39 **ケイコウ**となるも牛後となるなかれ。
□40 医者の**フヨウジョウ**。

□41 過酷な受験戦争を**セイ**する。
□42 海外で**チュウザイ**員として働く。
□43 先生に漫画を**ボッシュウ**された。
□44 疲れて**イス**の背にもたれる。
□45 若者の間で一躍人気を**ハク**した。
□46 異性の同級生に**コ**い焦がれる。
□47 玄関のドアに**カギ**をかける。
□48 国家から品質のお**スミツ**きを頂く。
□49 規則違反で**ユシ**免職処分になる。
□50 子供が何者かに**ラチ**された。
□51 温暖化で氷河の**ユウカイ**が進む。
□52 火事で三**ムネ**の家が焼失した。
□53 飲酒後の車の運転は**ゴハット**だ。
□54 当局に身柄を**コウソク**される。
□55 安心して**マクラ**を高くして寝る。
□56 良き**ハンリョ**に巡り会う。

25	26	27	28	29	30	31	32	33	34	35	36	37	38	39	40
会釈	富貴	古墳	満喫	星霜	隔	捻挫	奪還	敬称	棚	疾患	生兵法	体	昇格	鶏口	不養生

41	42	43	44	45	46	47	48	49	50	51	52	53	54	55	56
制	駐在	没収	椅子	博	恋	鍵	墨付	諭旨	拉致	融解	棟	御法度	拘束	枕	伴侶

読み 280問
書き取り④ 336問
四字熟語 168問
送りがな 112問
誤字訂正 112問
対義語・類義語 144問
同音・同訓異字 224問
部首 112問
熟語の構成 129問

合否の分かれ目！

頻出度

B

書き取り――⑤

目標正答率 85%

／56

※次の――線のカタカナを漢字に直せ。

□ 1 キュウヨの一策を講じる。
□ 2 具体例をレッキョして説明する。
□ 3 前例をトウシュウして判断する。
□ 4 ナエギを買って庭に植える。
□ 5 地下道からイシュウが発生する。
□ 6 昼夜交替でジョウチュウする。
□ 7 体が震えて背筋にオカンが走る。
□ 8 山頂からのチョウボウがすばらしい。
□ 9 任務のスイコウが不可能になった。
□ 10 発表会でケンバン楽器を演奏する。
□ 11 世をシノび山間で暮らす。
□ 12 工事に五年の歳月をツイやした。
□ 13 人々の視線がイッセイに注がれた。
□ 14 食事会を通じてシンボクを深める。
□ 15 皇帝に貢ぎ物をケンジョウする。
□ 16 商品をルイケイごとに仕分けする。
□ 17 ソウゼツな戦いのすえ勝利した。
□ 18 キュウケイをはさんで再開した。
□ 19 都会ではエガタい体験をする。
□ 20 不動産をテイトウに資金を借りる。
□ 21 宮中行事でガガクを演奏する。
□ 22 ヒトハダ脱ごうと決意した。
□ 23 ビタミンのケツボウで体調を崩す。
□ 24 ソアクな商品をつかまされた。

標準解答

1	窮余	13	一斉
2	列挙	14	親睦
3	踏襲	15	献上
4	苗木	16	類型
5	異臭	17	壮絶
6	常駐	18	休憩
7	悪寒	19	得難
8	眺望	20	抵当
9	遂行	21	雅楽
10	鍵盤	22	一肌
11	忍	23	欠乏
12	費	24	粗悪

□ 25 夏に**アサ**素材のシャツを着る。
□ 26 **ヒッス**科目を受講して単位をとる。
□ 27 まじめな彼女は、仕事も**チミツ**だ。
□ 28 **ザンシン**なデザインの雑貨だ。
□ 29 家電に最新の機能を**トウサイ**する。
□ 30 シカを追う**リョウシ**は山を見ず。
□ 31 急逝した故人の**メイフク**を祈る。
□ 32 **タノ**もしい言葉に胸をなで下ろす。
□ 33 山の**スソノ**に集落が広がっている。
□ 34 **ヨレイ**を合図に教室へ戻る。
□ 35 外科の**ビョウトウ**に入院中です。
□ 36 **サゲス**むような目で相手を見る。
□ 37 会合は**ナゴ**やかなうちに終わった。
□ 38 新興国の経済発展が**イチジル**しい。
□ 39 歌手が被災者を**イモン**した。
□ 40 失敗を**キモ**にめいじる。

□ 41 赤ん坊をベッドに**ネ**かせる。
□ 42 **インシツ**ないじめが問題化した。
□ 43 **シンラツ**な意見に耳が痛い。
□ 44 相変わらず**ニ**え切らない態度だ。
□ 45 弁護士に成功**ホウシュウ**を支払う。
□ 46 **コウシ**戸を開けて店に入る。
□ 47 雨上がりの空に**ニジ**がかかった。
□ 48 両横綱は角界の**ソウヘキ**をなす。
□ 49 さるが時々**フモト**に下りてくる。
□ 50 逝去した友人の墓に**モウ**でる。
□ 51 窓から**サワ**やかな風が入ってきた。
□ 52 猫が昆虫を捕まえて**モテアソ**ぶ。
□ 53 大使として国王に**エッケン**した。
□ 54 大物選手が他チームに**イセキ**した。
□ 55 次戦に背水の**ジン**で挑む。
□ 56 雄大な霊山が**コウゴウ**しく輝く。

25 麻
26 必須
27 緻密
28 斬新
29 搭載
30 猟師
31 冥福
32 頼
33 裾野
34 予鈴
35 病棟
36 蔑
37 和
38 著
39 慰問
40 肝

41 寝
42 陰湿
43 辛辣
44 煮
45 報酬
46 格子
47 虹
48 双璧
49 麓
50 詣
51 爽
52 弄
53 謁見
54 移籍
55 陣
56 神神(々)

合否の分かれ目！
頻出度
B
書き取り―⑥

※次の――線のカタカナを漢字に直せ。

□1 **サムライ**に仮装して祭りに参加する。
□2 目薬で**ドウコウ**を広げて検査する。
□3 パンに**ハチミツ**を塗って食べる。
□4 医療機関の設備を**カクジュウ**する。
□5 監督への就任要請を**カイダク**する。
□6 貸借対照表に自社の**フサイ**を記す。
□7 事故現場を目撃し**センリツ**が走る。
□8 広場で**モヨオ**し物が開かれる。
□9 自信のない人ほど**キョセイ**を張る。
□10 歴史を**ヌ**り替える大発見だ。
□11 **シンギ**の結果、法案が可決された。
□12 繁忙期は臨時の職員を**ヤト**う。
□13 火災の原因は**ロウデン**だった。
□14 経営体制を**サッシン**する。
□15 日本は天然資源に**トボ**しい。
□16 実力が**ハクチュウ**する相手を選ぶ。
□17 久しぶりに娘**ムコ**と酒を飲む。
□18 **ジゼン**活動に熱心な篤志家だ。
□19 **タイグウ**の悪さに不平をこぼす。
□20 ごみを**フクロ**に入れて持ち帰る。
□21 事故の原因は**サダ**かではない。
□22 **サル**を見に動物園へ足を運ぶ。
□23 惰眠をむさぼり時間を**ロウヒ**する。
□24 互いに主張を**ユズ**らなかった。

目標正答率 85%
／56

標準解答

1 侍
2 瞳孔
3 蜂蜜
4 拡充
5 快諾
6 負債
7 戦慄
8 催
9 虚勢
10 塗
11 審議
12 雇
13 漏電
14 刷新
15 乏
16 伯仲
17 婿
18 慈善
19 待遇
20 袋
21 定
22 猿
23 浪費
24 譲

□25 党員同士のナイフンが絶えない。
□26 飛行機が山中にツイラクした。
□27 ロウバシンながら忠告する。
□28 週末の天気はクズれるらしい。
□29 たこが突然スミを吐いた。
□30 冗談はカンベンしてほしい。
□31 合格のキッポウを心待ちにする。
□32 風をホに受けて航行した。
□33 スイソウで熱帯魚を飼っている。
□34 恋人の行動にゲンメツした。
□35 ドアをオして入室してください。
□36 温度計がレイカ四十度を指す。
□37 奉仕活動の参加者をイロウする。
□38 涼しい木陰でしばらくイコう。
□39 手をノばして本を拾い上げた。
□40 社の将来をソウケンに担う。

□41 社長の意見をハイチョウする。
□42 息子とアきるまで公園で遊んだ。
□43 彼女の美しさにミ入られたようだ。
□44 都市のキンコウに移り住む。
□45 ショクタクにグラスを並べた。
□46 トクメイで新聞に投書する。
□47 宴会で得意の芸をヒロウする。
□48 作業員をズイジ募集している。
□49 夜中に気管支炎をハッショウする。
□50 家族に見守られながらナくなった。
□51 基本的人権をヨウゴする。
□52 環境問題のケイハツ活動に努める。
□53 贈られてきたバラをカビンに飾る。
□54 値段をスえ置きにする。
□55 法廷で陳述する前にセンセイする。
□56 多彩なトウキが並んでいる。

25 内紛
26 墜落
27 老婆心
28 崩
29 墨
30 勘弁
31 吉報
32 帆
33 水槽
34 幻滅
35 押
36 零下
37 慰労
38 憩
39 伸
40 双肩

41 拝聴
42 飽
43 魅
44 近郊
45 食卓
46 匿名
47 披露
48 随時
49 発症
50 亡
51 擁護
52 啓発
53 花瓶
54 据
55 宣誓
56 陶器

合否の分かれ目!
頻出度
B

四字熟語—①

※次の□に漢字を入れ、四字熟語を完成させよ。

□ 1 □□協同〔心を同じくして共に力を合わせること〕
□ 2 群雄□□〔多くの英雄が対立しあうこと〕
□ 3 □□課税〔高額所得者ほど税率が増す課税〕
□ 4 □□揚揚〔大変誇らしげに振るまうこと〕
□ 5 興味□□〔次々と興味がわいてくること〕
□ 6 □□一笑〔顔をほころばせてにっこり笑うこと〕
□ 7 鼓腹□□〔よい政治のもとで平和な生活を送ること〕
□ 8 □□家族〔世話をしてやしなう家族〕
□ 9 □□孤独〔身寄りがなくひとりぼっちなこと〕
□ 10 南船□□〔あちらこちらを広く旅行すること〕
□ 11 朝三□□〔目先の違いにこだわり本質を理解しない〕
□ 12 感慨□□〔胸一杯にしみじみと深く感じること〕

□ 13 □□東風〔人の意見や批評を聞き流すこと〕
□ 14 □□力行〔仕事に励み倹約し精一杯行うこと〕
□ 15 □□自棄〔すてばちでやけくそになること〕
□ 16 容姿□□〔姿かたちが美しいこと〕
□ 17 落花□□〔人や物が落ちぶれることのたとえ〕
□ 18 □□飛語〔根拠のない、いいかげんなうわさ〕
□ 19 理非□□〔正しいことと間違っていること〕
□ 20 遮二□□〔がむしゃらに〕
□ 21 困苦□□〔生活に必要な物がかけて困り苦しむこと〕
□ 22 犬牙□□〔隣り合う二国が互いにけんせいすること〕
□ 23 □□披露〔師匠の名を継いだことを公表する〕
□ 24 虎渓□□〔熱中して他のことを忘れてしまうこと〕

標準解答

1 和衷協同（わちゅうきょうどう）
2 群雄割拠（ぐんゆうかっきょ）
3 累進課税（るいしんかぜい）
4 意気揚揚(々)（いきようよう）
5 興味津津(々)（きょうみしんしん）
6 破顔一笑（はがんいっしょう）
7 鼓腹撃壌（こふくげきじょう）
8 扶養家族（ふようかぞく）
9 天涯孤独（てんがいこどく）
10 南船北馬（なんせんほくば）
11 朝三暮四（ちょうさんぼし）
12 感慨無量（かんがいむりょう）
13 馬耳東風（ばじとうふう）
14 勤倹力行（きんけんりっこう）
15 自暴自棄（じぼうじき）
16 容姿端麗（ようしたんれい）
17 落花流水（らっかりゅうすい）
18 流言飛語（りゅうげんひご）
19 理非曲直（りひきょくちょく）
20 遮二無二（しゃにむに）
21 困苦欠乏（こんくけつぼう）
22 犬牙相制（けんがそうせい）
23 襲名披露（しゅうめいひろう）
24 虎渓三笑（こけいさんしょう）

目標正答率
書き取り80%
意味90%

／56

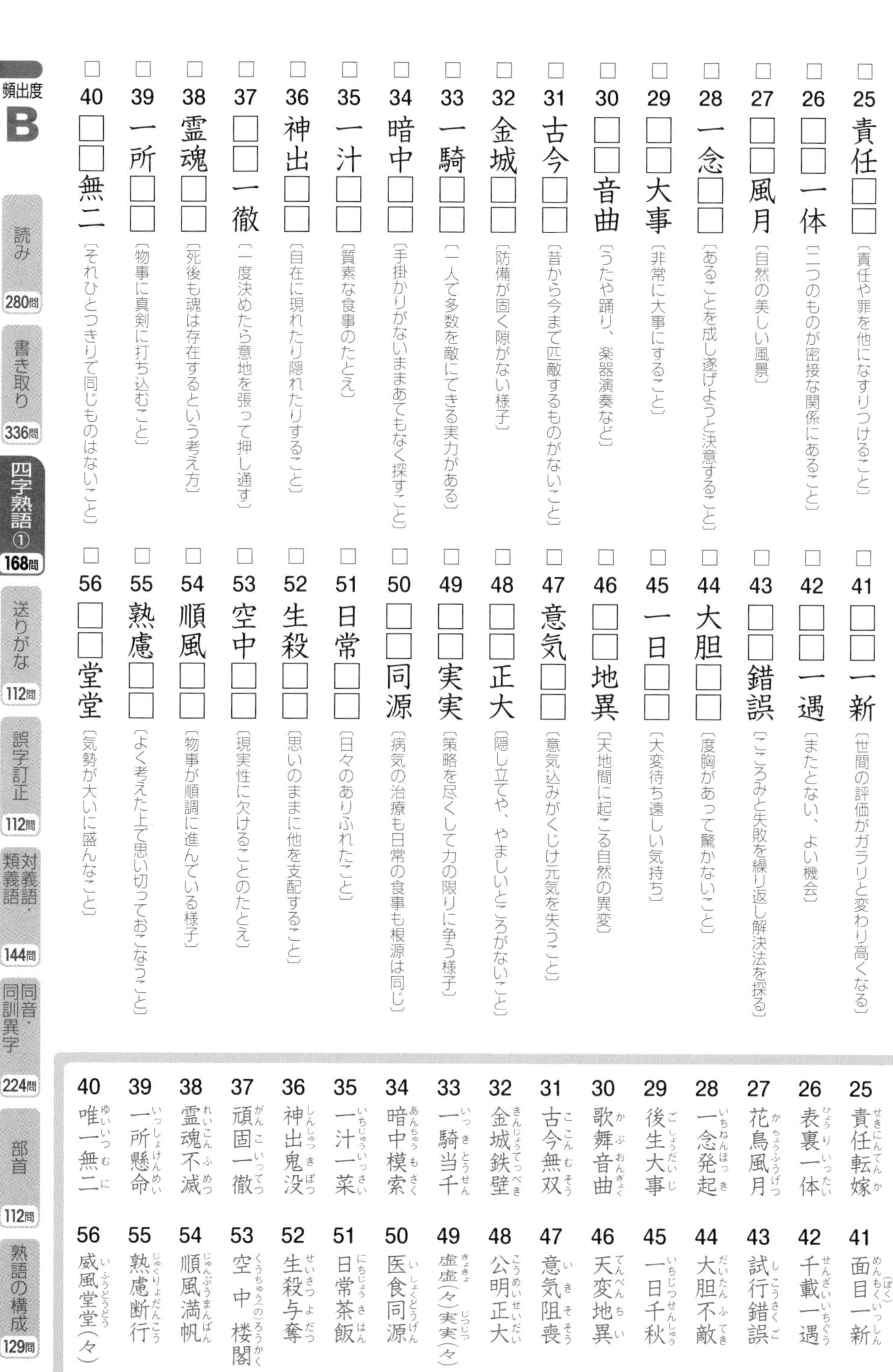

□25 責任□□〔責任や罪を他になすりつけること〕

□26 □□一体〔二つのものが密接な関係にあること〕

□27 □□風月〔自然の美しい風景〕

□28 一念□□〔あることを成し遂げようと決意すること〕

□29 □□大事〔非常に大事にすること〕

□30 □□音曲〔うたや踊り、楽器演奏など〕

□31 古今□□〔昔から今まで匹敵するものがないこと〕

□32 金城□□〔防備が固く隙がない様子〕

□33 一騎□□〔一人で多数を敵にできる実力がある〕

□34 暗中□□〔手掛かりがないままあてもなく探すこと〕

□35 一汁□□〔質素な食事のたとえ〕

□36 神出□□〔自在に現れたり隠れたりすること〕

□37 □□一徹〔一度決めたら意地を張って押し通す〕

□38 霊魂□□〔死後も魂は存在するという考え方〕

□39 一所□□〔物事に真剣に打ち込むこと〕

□40 □□無二〔それひとつきりで同じものはないこと〕

□41 □□一新〔世間の評価がガラリと変わり高くなる〕

□42 □□一遇〔またとない、よい機会〕

□43 □□錯誤〔こころみと失敗を繰り返し解決法を探る〕

□44 大胆□□〔度胸があって驚かないこと〕

□45 一日□□〔大変待ち遠しい気持ち〕

□46 □□地異〔天地間に起こる自然の異変〕

□47 意気□□〔意気込みがくじけ元気を失うこと〕

□48 □□正大〔隠し立てや、やましいところがないこと〕

□49 □□実実〔策略を尽くして力の限りに争う様子〕

□50 □□同源〔病気の治療も日常の食事も根源は同じ〕

□51 日常□□〔日々のありふれたこと〕

□52 生殺□□〔思いのままに他を支配すること〕

□53 空中□□〔現実性に欠けることのたとえ〕

□54 順風□□〔物事が順調に進んでいる様子〕

□55 熟慮□□〔よく考えた上で思い切っておこなうこと〕

□56 □□堂堂〔気勢が大いに盛んなこと〕

---

25 責任転嫁（せきにんてんか）
26 表裏一体（ひょうりいったい）
27 花鳥風月（かちょうふうげつ）
28 一念発起（いちねんほっき）
29 後生大事（ごしょうだいじ）
30 歌舞音曲（かぶおんぎょく）
31 古今無双（ここんむそう）
32 金城鉄壁（きんじょうてっぺき）
33 一騎当千（いっきとうせん）
34 暗中模索（あんちゅうもさく）
35 一汁一菜（いちじゅういっさい）
36 神出鬼没（しんしゅつきぼつ）
37 頑固一徹（がんこいってつ）
38 霊魂不滅（れいこんふめつ）
39 一所懸命（いっしょけんめい）
40 唯一無二（ゆいいつむに）

41 面目一新（めんもく（ぼく）いっしん）
42 千載一遇（せんざいいちぐう）
43 試行錯誤（しこうさくご）
44 大胆不敵（だいたんふてき）
45 一日千秋（いちじつせんしゅう）
46 天変地異（てんぺんちい）
47 意気阻喪（いきそそう）
48 公明正大（こうめいせいだい）
49 虚虚（々）実実（々）（きょきょじつじつ）
50 医食同源（いしょくどうげん）
51 日常茶飯（にちじょうさはん）
52 生殺与奪（せいさつよだつ）
53 空中楼閣（くうちゅう（の）ろうかく）
54 順風満帆（じゅんぷうまんぱん）
55 熟慮断行（じゅくりょだんこう）
56 威風堂堂（々）（いふうどうどう）

合否の分かれ目！
頻出度
B

四字熟語―②

※次の□に漢字を入れ、四字熟語を完成させよ。

□ 1 天涯□□〔身寄りがなくひとりぼっちなこと〕
□ 2 □□夜行〔悪人が自分勝手にのさばりはびこる〕
□ 3 □□独尊〔自分だけ優れているとうぬぼれる〕
□ 4 意気□□〔意気込みがくじけ元気を失うこと〕
□ 5 弾劾□□〔責任がある公の人の不正を追及する〕
□ 6 □□保身〔賢く世に処して自分の地位を守る〕
□ 7 累世□□〔幾代にもわたっておなじ家に住むこと〕
□ 8 愛別□□〔別れのつらさ〕
□ 9 海内□□〔並ぶものがないほど優れていること〕
□ 10 才徳□□〔才知と徳行とをあわせ持つこと〕
□ 11 富貴□□〔富んで位が高くなること〕
□ 12 無罪□□〔無罪とわかった人を自由の身にする〕
□ 13 偶像□□〔偶像を宗教的な対象として尊ぶこと〕
□ 14 □□自然〔何もせずあるがままにまかせること〕
□ 15 風霜□□〔清らかに澄んだ秋の景色のたとえ〕
□ 16 □□黙考〔だまって深くじっと考えこむこと〕
□ 17 □□小異〔細かい点は違うがだいたいおなじこと〕
□ 18 □□自適〔自分の心のままにのんびりと過ごす〕
□ 19 □□破帽〔身なりをかまわない粗野な様子〕
□ 20 □□供養〔長い年月、仏や死者の霊に物を供える〕
□ 21 冷水□□〔冷水で絞った手ぬぐいで体をこする〕
□ 22 □□操作〔離れたところから操ること〕
□ 23 □□不休〔休まずにずっと事に当たること〕
□ 24 高山□□〔非常に優れた音楽〕

目標正答率
書き取り80%
意味90%
／56

標準解答

1 天涯孤独（てんがいこどく）
2 百鬼夜行（ひゃっきやこう（ぎょう））
3 唯我独尊（ゆいがどくそん）
4 意気阻喪（いきそそう）
5 弾劾裁判（だんがいさいばん）
6 明哲保身（めいてつほしん）
7 累世同居（るいせいどうきょ）
8 愛別離苦（あいべつりく）
9 海内無双（かいだいむそう）
10 才徳兼備（さいとくけんび）
11 富貴利達（ふうきりたつ）
12 無罪放免（むざいほうめん）
13 偶像崇拝（ぐうぞうすうはい）
14 無為自然（むいしぜん）
15 風霜高潔（ふうそうこうけつ）
16 沈思黙考（ちんしもっこう）
17 大同小異（だいどうしょうい）
18 悠悠（々）自適（ゆうゆうじてき）
19 弊衣破帽（へいいはぼう）
20 永代供養（えいたいくよう）
21 冷水摩擦（れいすいまさつ）
22 遠隔操作（えんかくそうさ）
23 不眠不休（ふみんふきゅう）
24 高山流水（こうざんりゅうすい）

- □ 25 空空□□〔広々としてとりとめのない様子〕
- □ 26 □□末世〔道義がすたれ乱れた末の世〕
- □ 27 速戦□□〔短時間で決着をつけること〕
- □ 28 □□半解〔中途半端にしか理解していないこと〕
- □ 29 悪事□□〔悪いことは評判になりやすいたとえ〕
- □ 30 縦横□□〔思う存分ふるまう様子〕
- □ 31 豊年□□〔農作物が豊かに実り収穫が多いこと〕
- □ 32 □□接待〔地方自治体が中央官僚を税金でもてなすこと〕
- □ 33 □□再四〔何度も何度も〕
- □ 34 危機□□〔非常に危ないせとぎわ〕
- □ 35 □□知新〔古いものをたずねて新しいことを知る〕
- □ 36 前途□□〔将来が明るく希望に満ちていること〕
- □ 37 六根□□〔迷いから抜け出て心身がきよらかになる〕
- □ 38 音吐□□〔音声が豊かではっきりしている様子〕
- □ 39 閉月□□〔容姿の美しい女性〕
- □ 40 □□無事〔おだやかで安らかなこと〕
- □ 41 □□徹底〔仏教で煩悩を捨てさとること〕
- □ 42 相互□□〔互いに経済的に助け合うこと〕
- □ 43 時代□□〔時代に合わない昔ながらの考え方〕
- □ 44 □□衆生〔この世に生を受けたすべてのもの〕
- □ 45 迷惑□□〔非常に迷惑なこと〕
- □ 46 人材□□〔才能のある人物が続々と世に出ること〕
- □ 47 □□進退〔現職にとどまるかどうかの身のふり方〕
- □ 48 □□一貫〔最初から最後まで方針が変わらないこと〕
- □ 49 □□一生〔絶体絶命の状況からなんとか助かること〕
- □ 50 □□選択〔必要なものと不必要なものを選ぶこと〕
- □ 51 精力□□〔心身の活力が抜群で強いこと〕
- □ 52 □□一会〔生涯に一度限りであること〕
- □ 53 □□模索〔手掛かりがないままあてもなく探すこと〕
- □ 54 □□流行〔本質的なものの中に流行を取り入れる〕
- □ 55 直情□□〔自分の思ったとおりにふるまうこと〕
- □ 56 □□猛暑〔耐えがたいほどの厳しいさむさと暑さ〕

- 25 空空(々)漠漠(々)（くうくうばくばく）
- 26 末法末世（まっぽうまっせ）
- 27 速戦即決（そくせんそっけつ）
- 28 一知半解（いっちはんかい）
- 29 悪事千里（あくじせんり）
- 30 縦横無尽（じゅうおうむじん）
- 31 豊年満作（ほうねんまんさく）
- 32 官官(々)接待（かんかんせったい）
- 33 再三再四（さいさんさいし）
- 34 危機一髪（ききいっぱつ）
- 35 温故知新（おんこちしん）
- 36 前途洋洋(々)（ぜんとようよう）
- 37 六根清浄（ろっこんしょうじょう）
- 38 音吐朗朗(々)（おんとろうろう）
- 39 閉月羞花（へいげつしゅうか）
- 40 平穏無事（へいおんぶじ）
- 41 大悟徹底（たいごてってい）
- 42 相互扶助（そうごふじょ）
- 43 時代錯誤（じだいさくご）
- 44 一切衆生（いっさいしゅじょう）
- 45 迷惑千万（めいわくせんばん）
- 46 人材輩出（じんざいはいしゅつ）
- 47 出処進退（しゅっしょしんたい）
- 48 首尾一貫（しゅびいっかん）
- 49 万死一生（ばんしいっせい(しょう)）
- 50 取捨選択（しゅしゃせんたく）
- 51 精力絶倫（せいりょくぜつりん）
- 52 一期一会（いちごいちえ）
- 53 暗中模索（あんちゅうもさく）
- 54 不易流行（ふえきりゅうこう）
- 55 直情径行（ちょくじょうけいこう）
- 56 酷寒猛暑（こっかんもうしょ）

合否の分かれ目！

頻出度

B

四字熟語—③

※次の□に漢字を入れ、四字熟語を完成させよ。

□ 1 苛政□□〔ひどい政治は、虎よりも恐怖であるということ〕

□ 2 □□洋才〔日本固有の精神と西洋の学問や技術を併せ持つ〕

□ 3 喜怒□□〔人間が持つさまざまな感情〕

□ 4 □□低頭〔ひたすら恐縮してあやまること〕

□ 5 □□裁判〔責任がある公の人の不正を追及する〕

□ 6 □□吐息〔非常に困ったり苦しんだりする状態〕

□ 7 機略□□〔策略を自在にめぐらし用いること〕

□ 8 完全□□〔どこから見ても短所や不足がないこと〕

□ 9 □□同舟〔仲の悪い者同士が同じ場所にいること〕

□ 10 終始□□〔最初から最後まで言動が変わらないこと〕

□ 11 □□即発〔非常に緊迫した状態にあること〕

□ 12 □□低迷〔前途不安な状態が続くこと〕

□ 13 弊衣□□〔身なりをかまわない粗野な様子〕

□ 14 永代□□〔長い年月、仏や死者の霊に物をそなえる〕

□ 15 □□尚友〔本をよんで昔の賢人を友とする〕

□ 16 □□団結〔多くの団体が目的のために団結する〕

□ 17 □□騒然〔世間の様子が騒がしいこと〕

□ 18 寛仁□□〔心が広くて人の言動を受け入れること〕

□ 19 □□霧消〔あとかたもなく消えてなくなる様子〕

□ 20 □□霧中〔現状が把握できずとまどうこと〕

□ 21 夜郎□□〔自分の力量も知らず偉そうにする〕

□ 22 □□石火〔動作などが非常にすばやいこと〕

□ 23 意馬□□〔煩悩のため心が落ち着かないたとえ〕

□ 24 談論□□〔活発に議論をかわすこと〕

標準解答

1 苛政猛虎（かせいもうこ）
2 和魂洋才（わこんようさい）
3 喜怒哀楽（きどあいらく）
4 平身低頭（へいしんていとう）
5 弾劾裁判（だんがいさいばん）
6 青息吐息（あおいきといき）
7 機略縦横（きりゃくじゅうおう）
8 完全無欠（かんぜんむけつ）
9 呉越同舟（ごえつどうしゅう）
10 終始一貫（しゅうしいっかん）
11 一触即発（いっしょくそくはつ）
12 暗雲低迷（あんうんていめい）
13 弊衣破帽（へいいはぼう）
14 永代供養（えいたいくよう）
15 読書尚友（どくしょしょうゆう）
16 大同団結（だいどうだんけつ）
17 物情騒然（ぶつじょうそうぜん）
18 寛仁大度（かんじんたいど）
19 雲散霧消（うんさんむしょう）
20 五里霧中（ごりむちゅう）
21 夜郎自大（やろうじだい）
22 電光石火（でんこうせっか）
23 意馬心猿（いばしんえん）
24 談論風発（だんろんふうはつ）

目標正答率
書き取り80%
意味90%

／56

□ 25 腐敗□□〔精神がたるみ弊害が多く生じる状態〕
□ 26 □□術数〔人をあざむくためのはかりごと〕
□ 27 複雑□□〔事情がこみ入りよくわからない様子〕
□ 28 薬石□□〔薬や治療もきき目がないこと〕
□ 29 伴食□□〔重要な職にいながら役に立たない人〕
□ 30 進取□□〔積極的に取り組み、決断力に優れていること〕
□ 31 □□稼業〔世間の評判に左右される商売〕
□ 32 老少□□〔人間の寿命は予知できないこと〕
□ 33 感奮□□〔物事に深く心を動かされて奮い立つ〕
□ 34 □□不待〔時は過ぎ人の都合など待ってはくれないこと〕
□ 35 □□不覚〔正体がなくなること〕
□ 36 独断□□〔一人の判断で物事を勝手におこなうこと〕
□ 37 不老□□〔いつまでも老いることなく生きる〕
□ 38 大悟□□〔仏教で煩悩を捨て悟ること〕
□ 39 □□引水〔自分の都合のよいように事を進める〕
□ 40 □□扶助〔たがいに経済的に助け合うこと〕

□ 41 闘志□□〔負かそうとする意気込みが盛んな様子〕
□ 42 □□気鋭〔年が若く意気盛んであること〕
□ 43 □□自得〔罪を犯せばその報いを受けること〕
□ 44 周旋□□〔事をなすために、はしりまわること〕
□ 45 勤倹□□〔仕事に励み倹約し精一杯おこなうこと〕
□ 46 □□男女〔すべての人〕
□ 47 意味□□〔言葉などの意味がふかく、含みがあること〕
□ 48 本末□□〔大事なこととそうでないことを逆にする〕
□ 49 □□一毛〔取るに足りない、ささいなこと〕
□ 50 □□同居〔幾代にもわたって同じ家に住むこと〕
□ 51 論旨□□〔議論の趣旨の筋が通っていること〕
□ 52 □□撃壌〔よい政治のもとで平和な生活を送ること〕
□ 53 □□到来〔ちょうどよい機会がくること〕
□ 54 無理□□〔苦心して必要なお金を用意すること〕
□ 55 □□浦浦〔全国いたるところ〕
□ 56 柳緑□□〔手つかずの自然の美しさ〕

25 腐敗堕落（ふはいだらく）
26 権謀術数（けんぼうじゅっすう）
27 複雑怪奇（ふくざつかいき）
28 薬石無効（やくせきむこう）
29 伴食宰相（ばんしょくさいしょう）
30 進取果敢（しんしゅかかん）
31 人気稼業（にんきかぎょう）
32 老少不定（ろうしょうふじょう）
33 感奮興起（かんぷんこうき）
34 歳月不待（さいげつふたい）
35 前後不覚（ぜんごふかく）
36 独断専行（どくだんせんこう）
37 不老長寿（ふろうちょうじゅ）
38 大悟徹底（たいごてってい）
39 我田引水（がでんいんすい）
40 相互扶助（そうごふじょ）

41 闘志満満（々）（とうしまんまん）
42 少壮気鋭（しょうそうきえい）
43 自業自得（じごうじとく）
44 周旋奔走（しゅうせんほんそう）
45 勤倹力行（きんけんりっこう）
46 老若男女（ろうにゃくなんにょ）
47 意味深長（いみしんちょう）
48 本末転倒（ほんまつてんとう）
49 九牛一毛（きゅうぎゅうのいちもう）
50 累世同居（るいせいどうきょ）
51 論旨明快（ろんしめいかい）
52 鼓腹撃壌（こふくげきじょう）
53 好機到来（こうきとうらい）
54 無理算段（むりさんだん）
55 津津（々）浦浦（々）（つつ（づ）うらうら）
56 柳緑花紅（りゅうりょくかこう）

合否の分かれ目！

頻出度

B

送りがな―①

※次の――線のカタカナを漢字と送りがな（ひらがな）に直せ。

□1 本をひもで**シバッテ**捨てる。
□2 事故の原因は**サダカ**ではない。
□3 生徒に反省を**ウナガス**。
□4 隆盛を極めた王国が**ホロビル**。
□5 先生は生徒から**シタワレ**ている。
□6 昼を**アザムク**ばかりの明るさだ。
□7 働く**カタワラ**絵を習っている。
□8 **ホッスル**結果にはならなかった。
□9 翻訳に長い年月を**ツイヤシ**た。
□10 あの人は**フケル**のが早い。
□11 無理を**シイラレ**る覚えはない。
□12 たとえ口が**サケテ**も言わない。
□13 **ヨゴレタ**手で触ってはいけない。
□14 手相を見せ**ウラナッ**てもらった。
□15 財布のひもをきつく**シメル**。
□16 一日三回食後に歯を**ミガク**。
□17 釣ったばかりの魚を陸に**アゲル**。
□18 実力が出せず**クヤシイ**思いをした。
□19 春の茶会を**モヨオス**。
□20 浴槽のお湯を水で**ウメル**。
□21 娘の**トツグ**日が近づいてきた。
□22 初志を**ツラヌキ**通すことが大切だ。
□23 そんな水**クサイ**ことを言うな。
□24 危険を**トモナウ**手術です。

目標正答率 90%

／56

標準解答

1 縛って
2 定か
3 促す
4 滅びる
5 慕われ
6 欺く
7 傍ら
8 欲する
9 費やし
10 老ける
11 強いられ
12 裂けて
13 汚れた
14 占っ
15 締める
16 磨く
17 揚げる
18 悔しい
19 催す
20 埋める
21 嫁ぐ
22 貫き
23 臭い
24 伴う

□25 資金がトボシクなってきた。
□26 スミヤカニ対応してください。
□27 二大勢力がしのぎをケズッテいる。
□28 海にモグッて写真を撮る。
□29 オオセのとおりに致します。
□30 オロカナ行為を反省した。
□31 背筋をノバシテ姿勢を正す。
□32 スーパーのナラビに薬局ができた。
□33 タタミかけるように尋問された。
□34 将来をかたくチギッた二人です。
□35 月光の下で琴をカナデル。
□36 思わず返事にツマッてしまった。
□37 そろそろカキがウレルころだ。
□38 生意気でニクラシイ子どもだ。
□39 席が遠く話がマッタク聞こえない。
□40 羽振りがよいとモッパラのうわさだ。

□41 豪雨で崖がクズレた。
□42 ウエル子どもたちを救いたい。
□43 小雨で道路がシメッテいる。
□44 カライ料理を食べて汗が出た。
□45 山積みの課題に頭をカカエル。
□46 手品のタネをアカスよう頼んだ。
□47 親のありがたさが骨身にシミル。
□48 休日が雨とはウラメシイ。
□49 我が子同然にイツクシム。
□50 幼少期、胸をワズラッていた。
□51 事の重大性をサトルべきだ。
□52 湖の氷がクダケル音がした。
□53 朝日にハエル山の姿がすばらしい。
□54 病気の友をハゲマシ続けた。
□55 目の前にサビレた風景が広がる。
□56 建設反対をトナエル。

25 乏しく
26 速やかに
27 削って
28 潜っ
29 仰せ
30 愚かな
31 伸ばして
32 並び
33 畳み
34 契っ
35 奏でる
36 詰まっ
37 熟れる
38 憎らしい
39 全く
40 専ら

41 崩れ
42 飢える
43 湿って
44 辛い
45 抱える
46 明かす
47 染みる
48 恨めしい
49 慈しむ
50 患っ
51 悟る
52 砕ける
53 映える
54 励まし
55 寂れ
56 唱える

合否の分かれ目！
頻出度
B

送りがな—②

※次の——線のカタカナを漢字と送りがな（ひらがな）に直せ。

□1 家名を**ケガシ**てはならない。
□2 雪に**ウモレ**た長い冬が終わった。
□3 うさん**クサイ**話には気をつけよう。
□4 鳴りを**ヒソメ**ていた山が噴火した。
□5 **ニクラシイ**ほど上手に演じている。
□6 **ウエル**難民の救済に当たった。
□7 午後から天気が**クズレル**ようだ。
□8 大通りで車を**ヒロッ**て帰ろう。
□9 お祝いの言葉を**タマワリ**ました。
□10 申し入れを**コトワリ**続けた。
□11 個々の事情を**フマエ**て方針を立てる。
□12 内心の**オドロキ**を隠せなかった。
□13 あまりの惨状に目を**ソムケ**た。
□14 旬の美味を食膳に**ノボセル**。
□15 十年に及ぶ長**ワズライ**を克服した。
□16 悩むより当たって**クダケロ**だ。
□17 山の紅葉が夕日に**ハエル**。
□18 **ツツシン**でおわびいたします。
□19 終わりに**タダシ**書きをつける。
□20 末っ子なので**アマヤカシ**て育てた。
□21 健康のために塩分を**ヒカエル**。
□22 最後まで**ネバッ**て勝った。
□23 秘密を**アバカ**れることを恐れた。
□24 どんなお仕事も**ウケタマワリ**ます。

目標正答率 90%

／56

標準解答

1 汚し
2 埋もれ
3 臭い
4 潜め
5 憎らしい
6 飢える
7 崩れる
8 拾っ
9 賜り
10 断り
11 踏まえ
12 驚き
13 背け
14 上せる
15 患い
16 砕けろ
17 映える
18 謹ん
19 但し
20 甘やかし
21 控える
22 粘っ
23 暴か
24 承り

□25 前例を歴史に**タズネル**。
□26 客を**ネンゴロ**にもてなしてほしい。
□27 **イマワシイ**事件を早く忘れたい。
□28 学生に**ススメル**本を選ぶ。
□29 会場を**ワカス**大接戦だった。
□30 毎朝あいさつを**カワシ**ています。
□31 あわてて身なりを**トトノエ**た。
□32 苦労して開店資金を**トトノエ**た。
□33 気に**サワッ**たらお許しください。
□34 どこへ出しても**ハズカシク**ない。
□35 感**キワマッ**て泣き出した。
□36 この包丁の切れ味は**ニブイ**。
□37 病気もせず**スコヤカ**に育っている。
□38 恩に**ムクイル**ため全力を尽くした。
□39 息子が**タノモシイ**若者に成長した。
□40 警察がひったくり犯を**トラエル**。

□41 朝廷に進物を**ミツイ**だ。
□42 虫に刺されて皮膚が**ハレル**。
□43 横**ナグリ**の激しい雨になった。
□44 芝居が**ハネル**のを外で待つ。
□45 部長の機嫌が**メズラシク**よい。
□46 賛成が過半数を**シメル**。
□47 小売店に食料品を**オロシ**ています。
□48 子どもたちが野原を**カケル**。
□49 遊びほうけて親の小言を**クラッ**た。
□50 十年ぶりの再会で話が**ハズム**。
□51 一日中歩いて疲れ**ハテタ**。
□52 計画を白紙に**モドシ**て考え直す。
□53 大量生産で価格を**オサエル**。
□54 シェフが腕を**フルッ**た料理です。
□55 夢を**エガイ**て胸を膨らませる。
□56 三人の選手が激しく**キソイ**あった。

25 尋ねる
26 懇ろ
27 忌まわしい
28 薦める
29 沸かす
30 交わし
31 整え
32 調え
33 障っ
34 恥ずかしく
35 極まっ
36 鈍い
37 健やか
38 報いる
39 頼もしい
40 捕らえる

41 貢い
42 腫れる
43 殴り
44 跳ねる
45 珍しく
46 占める
47 卸し
48 駆ける
49 食らっ
50 弾む
51 果てた
52 戻し
53 抑える
54 振るっ
55 描い
56 競い

合否の分かれ目！
頻出度
B

誤字訂正―①

※次の文中にまちがって使われている漢字が一字ある。同じ音訓の正しい漢字を記せ。

- □ 1 警察官を出動させて騒ぎを沈める。
- □ 2 閑寂で別荘に最的な避暑地だ。
- □ 3 生物は不要なものを体外へ廃出する。
- □ 4 工業製品の輸出が延び悩んでいる。
- □ 5 佳日に手掘りの仏像を寺院に納める。
- □ 6 この詐欺事件の手口は実に攻妙だ。
- □ 7 梅雨の時期は洗択物が乾かず苦労する。
- □ 8 町民に自治会への参加を呼び架ける。
- □ 9 首脳会談で円借換の実施が決定された。
- □ 10 ここ数年で携帯電話が急速に普久した。
- □ 11 家計にしめる医療費の比律が増加する。
- □ 12 新薬の開発で一役学会の注目を浴びた。
- □ 13 染明な柄や色調が今年の流行だ。
- □ 14 交通重滞を未然に防ぐ対策を講じる。
- □ 15 医者の戒めを守り摂生に務める。
- □ 16 事業を成功させるには根気が寛要だ。
- □ 17 老窮化した家屋の建て替えが急務だ。
- □ 18 高額景品付き般売に排除勧告をする。
- □ 19 修学旅行で京都の秋を満詰した。
- □ 20 晩秋の山は空気が済み紅葉も美しい。
- □ 21 将来の食料不足は想像に堅くない。
- □ 22 国民を代表し幸久平和を祈願する。
- □ 23 除夜の鐘を聞き百八の凡悩を払う。
- □ 24 奨学金の替与について相談した。

目標正答率
80%
／56

標準解答

1	沈→鎮	13	染→鮮
2	的→適	14	重→渋
3	廃→排	15	務→努
4	延→伸	16	寛→肝
5	掘→彫	17	窮→朽
6	攻→巧	18	般→販
7	択→濯	19	詰→喫
8	架→掛	20	済→澄
9	換→款	21	堅→難
10	久→及	22	幸→恒
11	律→率	23	凡→煩
12	役→躍	24	替→貸

□ 25 新聞の投書欄に自作の原稿が乗った。
□ 26 旅客機が滑走路の上空を扇回している。
□ 27 消費者の需要はますます多容化する。
□ 28 鬼の伝説は全国各地に辺在している。
□ 29 入場者が殺到し長打の列ができた。
□ 30 会社の再建のためご甚力願います。
□ 31 育児を助ける環境づくりが祈待される。
□ 32 旅費には拝観料も折り込まれている。
□ 33 主役の華麗な舞踊が観客を魅良した。
□ 34 あまりの無作法に感忍袋の緒が切れた。
□ 35 護身のため威較色を備えた動物もいる。
□ 36 経費削減の意識を社内に浸当させる。
□ 37 宇宙の謎の解明に張戦する。
□ 38 念願の新規事業が企道に乗り始めた。
□ 39 波乱万丈の人生を自序伝に著す。
□ 40 状境を考慮した柔軟な対応を望む。

□ 41 容疑者は依然として黙否を続けている。
□ 42 危険を犯して険しい山を縦走する。
□ 43 工事の影響で窓ガラスが震動する。
□ 44 容姿は端麗だが演技は切劣だ。
□ 45 渓流に添って歩き自然の美を観賞した。
□ 46 夫婦別姓問題が審議会に図られた。
□ 47 偶像枢拝を否定する宗教も多い。
□ 48 過剰な森林伐栽で砂漠化が進んでいる。
□ 49 低俗な妥作が多く慨嘆している。
□ 50 新人賞を穫得した有望な若手俳優だ。
□ 51 店の改装で商売が繁丈し始めた。
□ 52 早出して花見に絶好の場所を締めた。
□ 53 儀式は先例に習って執り行われた。
□ 54 家を新築し屋根に太陽電池を接置した。
□ 55 河川流域が降廃し災害が多発している。
□ 56 旅先の蔵元で酒作りを見学した。

25 乗→載
26 扇→旋
27 容→様
28 辺→遍
29 打→蛇
30 甚→尽
31 祈→期
32 折→織
33 良→了
34 感→堪
35 較→嚇
36 当→透
37 張→挑
38 企→軌
39 序→叙
40 境→況

41 否→秘
42 犯→冒
43 震→振
44 切→拙
45 添→沿
46 図→諮
47 枢→崇
48 栽→採
49 妥→駄
50 穫→獲
51 丈→盛
52 締→占
53 習→倣
54 接→設
55 降→荒
56 作→造

読み 280問
書き取り 336問
四字熟語 168問
送りがな 112問
誤字訂正① 112問
対義語・類義語 144問
同音・同訓異字 224問
部首 112問
熟語の構成 129問

合否の分かれ目！
頻出度
B

誤字訂正―②

目標正答率 80%

／56

※次の文中にまちがって使われている漢字が一字ある。同じ音訓の正しい漢字を記せ。

□ 1 橋が腐及し改修工事が急がれる。
□ 2 雑誌の取材に膨大な時間を裂いた。
□ 3 堅任不抜の精神で計画を完遂する。
□ 4 郷愁を誘う線律が心に深く染み入る。
□ 5 諸国辺歴の旅を繰り返した詩人だ。
□ 6 その件は前例に習って処置します。
□ 7 先様の緩大な処置に深く感謝します。
□ 8 吹雪を犯して遭難者の救助に出動した。
□ 9 不況の影競で雇用条件が厳しくなる。
□ 10 能力や適性を考慮して進路を選拓する。
□ 11 有慮される財政危機への対策を練る。
□ 12 外資系企業との提契が成立した。
□ 13 日本の国土は山地が大半を締める。
□ 14 扶養家族のために辛棒強く働いた。
□ 15 現状を打破する配置転還が望まれる。
□ 16 容疑事実を頑固に秘認し続ける。
□ 17 四季が折りなす自然の風物を描く。
□ 18 健康維持のため定季的に検診を受ける。
□ 19 鑑賞に耐える自信作が完成した。
□ 20 改修工事に伴い駐輪場を増接した。
□ 21 効果的な円借鑑が強く望まれている。
□ 22 噴墓の地を後にして壮途についた。
□ 23 窒素酸化物の配出量が少ない車だ。
□ 24 医療の進歩に伴い平均寿命が延びた。

標準解答

1 及→朽
2 裂→割
3 任→忍
4 線→旋
5 辺→遍
6 習→倣
7 緩→寛
8 犯→冒
9 競→響
10 拓→択
11 有→憂
12 契→携
13 締→占
14 棒→抱
15 還→換
16 秘→否
17 折→織
18 季→期
19 耐→堪
20 接→設
21 鑑→款
22 噴→墳
23 配→排
24 寮→療

□25 太鼓や笛の音に誘われて皆躍りだした。
□26 駅構内での詰煙はご遠慮ください。
□27 自然環境の破塊が深刻な問題だ。
□28 現地では健命な捜索活動が行われている。
□29 製品を基格化し生産性を向上させた。
□30 地下配管工事で掘削した道路を保装する。
□31 優勝を競う両者の実力は迫仲している。
□32 沈静剤で神経の興奮を和らげる。
□33 対談の中で興味深い創話が紹介された。
□34 連日の炎天下で草木が刈れてしまった。
□35 昼夜兼行で一心に仏像を掘る。
□36 支社では仕事の効率化に務めている。
□37 仏道の修行によって凡悩を断つ。
□38 主旨が伝われば文章の好拙は問わない。
□39 宇宙船には各種実験器具が搭催された。
□40 黒潮が高知県沖付近で惰行し始めた。
□41 毎朝座禅を酌んで修行しています。
□42 赤ん坊が気嫌よく人形と戯れている。
□43 専門学校で写真を捕る技術を教わる。
□44 大都市の人口は泡和状態必至の情勢だ。
□45 好希心が強く何事にも積極的だ。
□46 宴席で酔って本音を掃き後悔した。
□47 彼は時に軽挙猛動に走るので心配だ。
□48 生存競走の激烈な社会から離脱する。
□49 細菌が墾入しないよう管理を徹底する。
□50 魚群が本邦近海を塊遊して南下した。
□51 討論会場の後仕末を済ませる。
□52 秩序を乱す凸出した行動は避ける。
□53 仕事との両立は並大提の苦労ではない。
□54 遺産をめぐる酬悪な争いを調停する。
□55 服模中につき年始の祝詞は失礼する。
□56 会長候補を二人に搾ることにした。

25 躍→踊
26 詰→喫
27 塊→壊
28 健→懸
29 基→規
30 保→舗
31 迫→伯
32 沈→鎮
33 創→挿
34 刈→枯
35 掘→彫
36 務→努
37 凡→煩
38 好→巧
39 催→載
40 惰→蛇
41 酌→組
42 気→機
43 捕→撮
44 泡→飽
45 希→奇
46 掃→吐
47 猛→妄
48 走→争
49 墾→混
50 塊→回
51 仕→始
52 凸→突
53 提→抵
54 酬→醜
55 模→喪
56 搾→絞

合否の分かれ目！
頻出度
B

対義語・類義語—①

※□の中の語を必ず一度使って漢字に直し、対義語・類義語を記せ。

対義語

□ 1 一括
□ 2 諮問
□ 3 厳寒
□ 4 簡潔
□ 5 圧勝
□ 6 疎遠
□ 7 末端
□ 8 委細
□ 9 繁忙
□ 10 切開

がいりゃく
かんさん
こくしょ
こんい
ざんぱい
じょうまん
ちゅうすう
とうしん
ぶんかつ
ほうごう

類義語

□ 11 堪忍
□ 12 傾倒
□ 13 支度
□ 14 威嚇
□ 15 了承
□ 16 起源
□ 17 崇拝
□ 18 困苦
□ 19 人相
□ 20 受胎

いけい
がまん
きょうはく
じゅんび
しんさん
なっとく
にんしん
はっしょう
むちゅう
ようぼう

目標正答率 85%
／48

標準解答

1 一括(いっかつ)↕分割(ぶんかつ)
2 諮問(しもん)↕答申(とうしん)
3 厳寒(げんかん)↕酷暑(こくしょ)
4 簡潔(かんけつ)↕冗漫(じょうまん)
5 圧勝(あっしょう)↕惨敗(ざんぱい)
6 疎遠(そえん)↕懇意(こんい)
7 末端(まったん)↕中枢(ちゅうすう)
8 委細(いさい)↕概略(がいりゃく)
9 繁忙(はんぼう)↕閑散(かんさん)
10 切開(せっかい)↕縫合(ほうごう)

11 堪忍(かんにん)＝我慢(がまん)
12 傾倒(けいとう)＝夢中(むちゅう)
13 支度(したく)＝準備(じゅんび)
14 威嚇(いかく)＝脅迫(きょうはく)
15 了承(りょうしょう)＝納得(なっとく)
16 起源(きげん)＝発祥(はっしょう)
17 崇拝(すうはい)＝畏敬(いけい)
18 困苦(こんく)＝辛酸(しんさん)
19 人相(にんそう)＝容貌(ようぼう)
20 受胎(じゅたい)＝妊娠(にんしん)

対義語

□21 悠長
□22 素人
□23 提出
□24 新鋭
□25 低落
□26 召還
□27 存続
□28 強硬
□29 左遷
□30 拒絶
□31 払暁
□32 悪臭
□33 淑女
□34 老練

えいてん　おうだく　くろうと　こうとう　こごう　しんし　せいきゅう　てっかい　なんじゃく　はいし　はくぼ　はけん　ほうこう　ようち

類義語

□35 道徳
□36 失望
□37 安値
□38 光陰
□39 屈強
□40 親友
□41 強情
□42 削除
□43 計略
□44 典雅
□45 適切
□46 阻止
□47 永遠
□48 既往

かこ　がんけん　がんこ　げんめつ　こうきゅう　こうしょう　さくぼう　せいそう　だとう　ちき　ぼうがい　まっしょう　りんり　れんか

---

21 悠長（ゆうちょう）↔性急（せいきゅう）
22 素人（しろうと）↔玄人（くろうと）
23 提出（ていしゅつ）↔撤回（てっかい）
24 新鋭（しんえい）↔古豪（こごう）
25 低落（ていらく）↔高騰（こうとう）
26 召還（しょうかん）↔派遣（はけん）
27 存続（そんぞく）↔廃止（はいし）
28 強硬（きょうこう）↔軟弱（なんじゃく）
29 左遷（させん）↔栄転（えいてん）
30 拒絶（きょぜつ）↔応諾（おうだく）
31 払暁（ふつぎょう）↔薄暮（はくぼ）
32 悪臭（あくしゅう）↔芳香（ほうこう）
33 淑女（しゅくじょ）↔紳士（しんし）
34 老練（ろうれん）↔幼稚（ようち）

35 道徳（どうとく）＝倫理（りんり）
36 失望（しつぼう）＝幻滅（げんめつ）
37 安値（やすね）＝廉価（れんか）
38 光陰（こういん）＝星霜（せいそう）
39 屈強（くっきょう）＝頑健（がんけん）
40 親友（しんゆう）＝知己（ちき）
41 強情（ごうじょう）＝頑固（がんこ）
42 削除（さくじょ）＝抹消（まっしょう）
43 計略（けいりゃく）＝策謀（さくぼう）
44 典雅（てんが）＝高尚（こうしょう）
45 適切（てきせつ）＝妥当（だとう）
46 阻止（そし）＝妨害（ぼうがい）
47 永遠（えいえん）＝恒久（こうきゅう）
48 既往（きおう）＝過去（かこ）

合否の分かれ目！
頻出度
B

対義語・類義語――②

※□の中の語を必ず一度使って漢字に直し、対義語・類義語を記せ。

対義語

□ 1 削除
□ 2 剛健
□ 3 釈放
□ 4 汚染
□ 5 秘匿
□ 6 薄暮
□ 7 融解
□ 8 受諾
□ 9 抑制
□ 10 助長

ぎょうこ
きょぜつ
こうそく
じょうか
そがい
そくしん
てんか
にゅうじゃく
ばくろ
ふつぎょう

類義語

□ 11 傾斜
□ 12 思案
□ 13 尽力
□ 14 基地
□ 15 失望
□ 16 断罪
□ 17 遺憾
□ 18 大衆
□ 19 枢要
□ 20 扇動

かくしん
きょてん
こうばい
こうりょ
ざんねん
しょばつ
しょみん
ちょうはつ
ほんそう
らくたん

目標正答率
85%
／48

標準解答

1 削除（さくじょ）↔添加（てんか）
2 剛健（ごうけん）↔柔弱（にゅうじゃく）
3 釈放（しゃくほう）↔拘束（こうそく）
4 汚染（おせん）↔浄化（じょうか）
5 秘匿（ひとく）↔暴露（ばくろ）
6 薄暮（はくぼ）↔払暁（ふつぎょう）
7 融解（ゆうかい）↔凝固（ぎょうこ）
8 受諾（じゅだく）↔拒絶（きょぜつ）
9 抑制（よくせい）↔促進（そくしん）
10 助長（じょちょう）↔阻害（そがい）

11 傾斜（けいしゃ）＝勾配（こうばい）
12 思案（しあん）＝考慮（こうりょ）
13 尽力（じんりょく）＝奔走（ほんそう）
14 基地（きち）＝拠点（きょてん）
15 失望（しつぼう）＝落胆（らくたん）
16 断罪（だんざい）＝処罰（しょばつ）
17 遺憾（いかん）＝残念（ざんねん）
18 大衆（たいしゅう）＝庶民（しょみん）
19 枢要（すうよう）＝核心（かくしん）
20 扇動（せんどう）＝挑発（ちょうはつ）

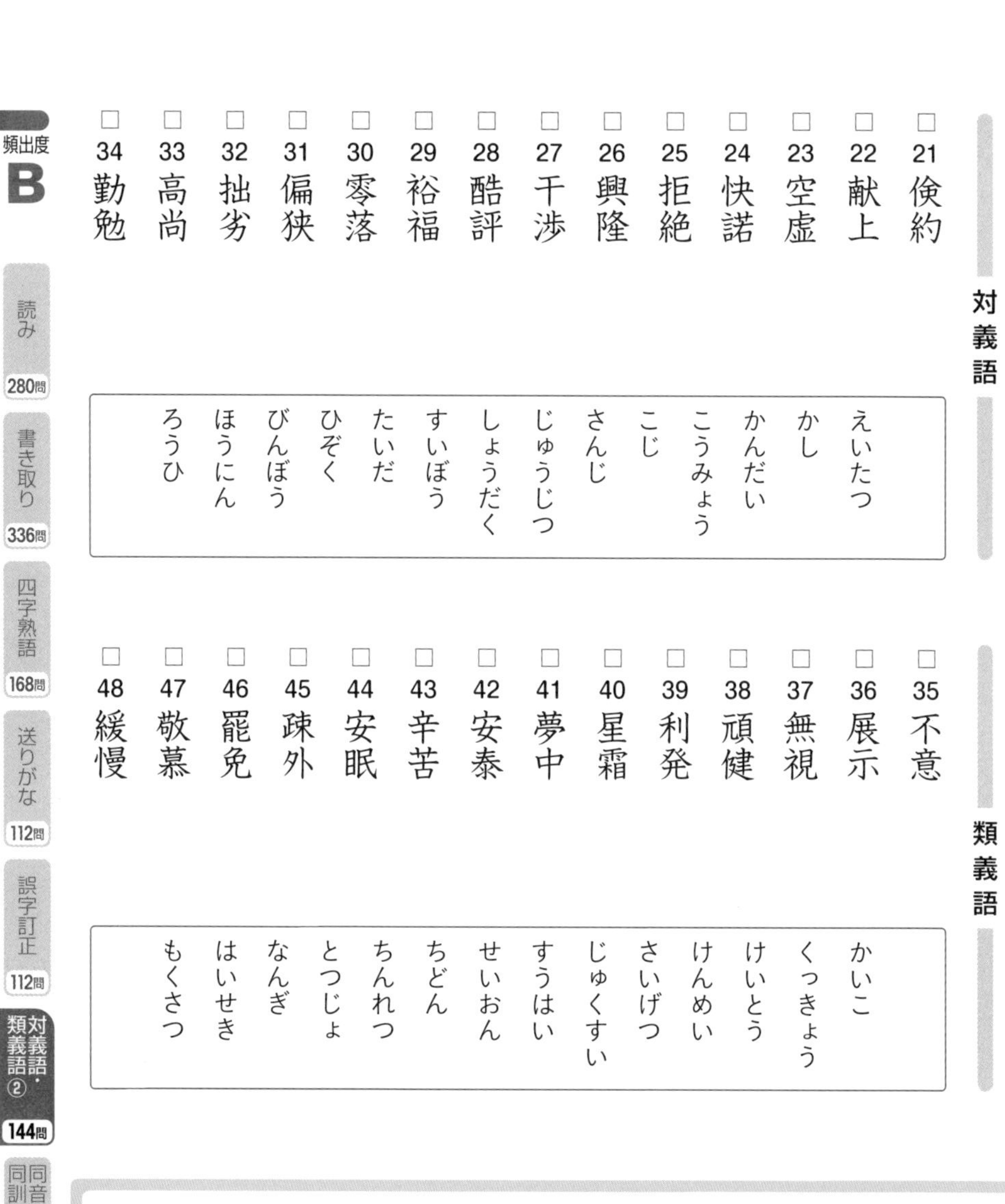

対義語

□21 倹約
□22 献上
□23 空虚
□24 快諾
□25 拒絶
□26 興隆
□27 干渉
□28 酷評
□29 裕福
□30 零落
□31 偏狭
□32 拙劣
□33 高尚
□34 勤勉

えいたつ　かし　かんだい　こうみょう　こじ　さんじ　じゅうじつ　しょうだく　すいぼう　たいだ　ひぞく　びんぼう　ほうにん　ろうひ

類義語

□35 不意
□36 展示
□37 無視
□38 頑健
□39 利発
□40 星霜
□41 夢中
□42 安泰
□43 辛苦
□44 安眠
□45 疎外
□46 罷免
□47 敬慕
□48 緩慢

かいこ　くっきょう　けいとう　けんめい　さいげつ　じゅくすい　すうはい　せいおん　ちどん　ちんれつ　とつじょ　なんぎ　はいせき　もくさつ

21 倹約（けんやく）↕浪費（ろうひ）
22 献上（けんじょう）↕下賜（かし）
23 空虚（くうきょ）↕充実（じゅうじつ）
24 快諾（かいだく）↕固辞（こじ）
25 拒絶（きょぜつ）↕承諾（しょうだく）
26 興隆（こうりゅう）↕衰亡（すいぼう）
27 干渉（かんしょう）↕放任（ほうにん）
28 酷評（こくひょう）↕賛辞（さんじ）
29 裕福（ゆうふく）↕貧乏（びんぼう）
30 零落（れいらく）↕栄達（えいたつ）
31 偏狭（へんきょう）↕寛大（かんだい）
32 拙劣（せつれつ）↕巧妙（こうみょう）
33 高尚（こうしょう）↕卑俗（ひぞく）
34 勤勉（きんべん）↕怠惰（たいだ）

35 不意（ふい）＝突如（とつじょ）
36 展示（てんじ）＝陳列（ちんれつ）
37 無視（むし）＝黙殺（もくさつ）
38 頑健（がんけん）＝屈強（くっきょう）
39 利発（りはつ）＝賢明（けんめい）
40 星霜（せいそう）＝歳月（さいげつ）
41 夢中（むちゅう）＝傾倒（けいとう）
42 安泰（あんたい）＝静穏（せいおん）
43 辛苦（しんく）＝難儀（なんぎ）
44 安眠（あんみん）＝熟睡（じゅくすい）
45 疎外（そがい）＝排斥（はいせき）
46 罷免（ひめん）＝解雇（かいこ）
47 敬慕（けいぼ）＝崇拝（すうはい）
48 緩慢（かんまん）＝遅鈍（ちどん）

合否の分かれ目！
頻出度
B

対義語・類義語——③

目標正答率85%

／48

※□の中の語を必ず一度使って漢字に直し、対義語・類義語を記せ。

対義語

□1 懲罰
□2 卑俗
□3 応諾
□4 尊宅
□5 軽快
□6 敏速
□7 独創
□8 逸材
□9 強壮
□10 過剰

かんまん　きょじゃく　きょぜつ　こうしょう　せったく　そうちょう　ふそく　ほうしょう　ぼんさい　もほう

類義語

□11 頑迷
□12 比肩
□13 敗走
□14 懐柔
□15 両雄
□16 妨害
□17 悪習
□18 滞在
□19 大胆
□20 克明

ごうほう　そうへき　そし　たいきゃく　たんねん　ちゅうりゅう　ひってき　へいふう　へんくつ　ろうらく

標準解答

1 懲罰（ちょうばつ）↔褒賞（ほうしょう）
2 卑俗（ひぞく）↔高尚（こうしょう）
3 応諾（おうだく）↔拒絶（きょぜつ）
4 尊宅（そんたく）↔拙宅（せったく）
5 軽快（けいかい）↔荘重（そうちょう）
6 敏速（びんそく）↔緩慢（かんまん）
7 独創（どくそう）↔模倣（もほう）
8 逸材（いつざい）↔凡才（ぼんさい）
9 強壮（きょうそう）↔虚弱（きょじゃく）
10 過剰（かじょう）↔不足（ふそく）

11 頑迷（がんめい）＝偏屈（へんくつ）
12 比肩（ひけん）＝匹敵（ひってき）
13 敗走（はいそう）＝退却（たいきゃく）
14 懐柔（かいじゅう）＝籠絡（ろうらく）
15 両雄（りょうゆう）＝双璧（そうへき）
16 妨害（ぼうがい）＝阻止（そし）
17 悪習（あくしゅう）＝弊風（へいふう）
18 滞在（たいざい）＝駐留（ちゅうりゅう）
19 大胆（だいたん）＝豪放（ごうほう）
20 克明（こくめい）＝丹念（たんねん）

対義語

□21 喪失
□22 怠惰
□23 寛大
□24 却下
□25 高雅
□26 簡潔
□27 軟弱
□28 貧乏
□29 栄達
□30 妥結
□31 拒絶
□32 販売
□33 挑発
□34 隠微

かくとく　きょうこう　きんべん　けつれつ　けんちょ　こうにゅう　じゅり　しょうだく　じょうちょう　ていぞく　へんきょう　ゆうふく　よくせい　れいらく

類義語

□35 遺憾
□36 納得
□37 遠謀
□38 通暁
□39 威嚇
□40 傾倒
□41 崇拝
□42 承知
□43 核心
□44 壮健
□45 回顧
□46 過去
□47 攻略
□48 準備

おうじ　がんじょう　きょうはく　きょだく　けいぼ　こんかん　ざんねん　したく　じゅくち　しゅこう　しんすい　しんりょ　だっしゅ　ついおく

21 喪失（そうしつ）↔獲得（かくとく）
22 怠惰（たいだ）↔勤勉（きんべん）
23 寛大（かんだい）↔偏狭（へんきょう）
24 却下（きゃっか）↔受理（じゅり）
25 高雅（こうが）↔低俗（ていぞく）
26 簡潔（かんけつ）↔冗長（じょうちょう）
27 軟弱（なんじゃく）↔強硬（きょうこう）
28 貧乏（びんぼう）↔裕福（ゆうふく）
29 栄達（えいたつ）↔零落（れいらく）
30 妥結（だけつ）↔決裂（けつれつ）
31 拒絶（きょぜつ）↔承諾（しょうだく）
32 販売（はんばい）↔購入（こうにゅう）
33 挑発（ちょうはつ）↔抑制（よくせい）
34 隠微（いんび）↔顕著（けんちょ）

35 遺憾（いかん）＝残念（ざんねん）
36 納得（なっとく）＝首肯（しゅこう）
37 遠謀（えんぼう）＝深慮（しんりょ）
38 通暁（つうぎょう）＝熟知（じゅくち）
39 威嚇（いかく）＝脅迫（きょうはく）
40 傾倒（けいとう）＝心酔（しんすい）
41 崇拝（すうはい）＝敬慕（けいぼ）
42 承知（しょうち）＝許諾（きょだく）
43 核心（かくしん）＝根幹（こんかん）
44 壮健（そうけん）＝頑丈（がんじょう）
45 回顧（かいこ）＝追憶（ついおく）
46 過去（かこ）＝往時（おうじ）
47 攻略（こうりゃく）＝奪取（だっしゅ）
48 準備（じゅんび）＝支度（したく）（仕度）

同音・同訓異字―①

✻ 次の――線のカタカナを漢字に直せ。

- □ 1 今年は自宅を**フシン**する予定だ。
- □ 2 ふるさとの復興に**フシン**する。
- □ 3 健康のため十時には**トコ**に就く。
- □ 4 **トコ**世の愛をちかう。
- □ 5 車が法定速度を**チョウカ**した。
- □ 6 小魚数匹の**チョウカ**に終わった。
- □ 7 **フンキュウ**墓の調査に参加する。
- □ 8 **フンキュウ**の末、法案を可決した。
- □ 9 紅葉狩りで**ケイコク**に行った。
- □ 10 車の暴走は危険だと**ケイコク**する。
- □ 11 敵の**カンゲン**にだまされるな。
- □ 12 消費者に利益を**カンゲン**した。
- □ 13 噴火で**コショウ**が形成された。
- □ 14 **コショウ**した車を修理に出した。
- □ 15 会長の**ツル**の一声で決まった。
- □ 16 **ツル**から放たれた矢が弧を描いた。
- □ 17 **テンジョウ**に向かって手を伸ばす。
- □ 18 **テンジョウ**員として旅に同行する。
- □ 19 両軍の勢力は**ハクチュウ**している。
- □ 20 **ハクチュウ**の街で事件が起こった。
- □ 21 復旧工事のための予算を**ク**んだ。
- □ 22 諸々の事情を**ク**んで結論を下した。
- □ 23 女王に**エッケン**を賜る。
- □ 24 議長の**エッケン**行為が非難された。

標準解答

1 普請　2 腐心　3 床　4 常　5 超過　6 釣果　7 墳丘　8 紛糾　9 渓谷　10 警告　11 甘言　12 還元

13 湖沼　14 故障　15 鶴　16 弦　17 天井　18 添乗　19 伯仲　20 白昼　21 組　22 酌　23 謁見　24 越権

25 開会式で選手**センセイ**する。
26 **センセイ**点を取ったが逆転された。

27 酔って**ヘイコウ**感覚が低下する。
28 身勝手な態度に**ヘイコウ**した。

29 周囲に**ユウシ**鉄線をめぐらした。
30 **ユウシ**を抱き郷里を後にした。

31 **カイジュウ**の模型を作った。
32 反対派の**カイジュウ**策を施す。

33 秋の夜が次第に**フ**けていく。
34 年齢よりも**フ**けて見られる。

35 **ダトウ**な対応策が打ち出された。
36 今度こそライバルを**ダトウ**したい。

37 食後に**セイチョウ**剤を服用する。
38 朝の**セイチョウ**な空気を吸う。

39 雑誌の**ケンショウ**に応募した。
40 鑑識が現場**ケンショウ**を行った。

41 悪政に苦しむ農民が**ホウキ**した。
42 遺産の相続を全て**ホウキ**した。

43 のどが**エンショウ**を起こして痛む。
44 山火事が強風で**エンショウ**した。

45 **スミ**をすって書き初めをする。
46 部屋の**スミ**にほこりがたまる。

47 **カンセイ**な住宅街に住んでいる。
48 **カンセイ**塔から離陸の許可が出る。

49 **サワ**らぬ神にたたりなし。
50 差し**サワ**りがあって参加できない。

51 傘の**エ**が壊れたので修理する。
52 八**エ**咲きの桜をながめる。

53 子犬が**オ**を振りながらついてくる。
54 勝ってかぶとの**オ**を締めよ。

55 **ナワ**跳びで跳んだ回数を競う。
56 若い稲を**ナワ**代から田んぼに移す。

25 宣誓
26 先制
27 平衡
28 閉口
29 有刺
30 雄志
31 怪獣
32 懐柔
33 更
34 老
35 妥当
36 打倒
37 整腸
38 清澄
39 懸賞
40 検証

41 蜂起
42 放棄
43 炎症
44 延焼
45 墨
46 隅
47 閑静
48 管制
49 触
50 障
51 柄
52 重
53 尾
54 緒
55 縄
56 苗

合否の分かれ目！
頻出度
B

同音・同訓異字―②

※次の――線のカタカナを漢字に直せ。

□ 1 親戚に**ケイジ**が続きうれしい。
□ 2 駅の**ケイジ**板にポスターを貼った。
□ 3 乳酸菌には**セイチョウ**作用がある。
□ 4 **セイチョウ**な音色を楽しむ。
□ 5 なかなか**スミ**に置けない人物だ。
□ 6 **スミ**染めの衣を身にまとう。
□ 7 増水で川の中**ス**が見えなくなった。
□ 8 トレードで古**ス**に戻ってきた。
□ 9 **カンセイ**塔から着陸許可がおりる。
□ 10 **カンセイ**な住宅街を歩いた。
□ 11 反対派を**カイジュウ**する策を練る。
□ 12 ゴジラは架空の**カイジュウ**だ。
□ 13 国王の**エッケン**室にうかがった。
□ 14 **エッケン**行為を非難する。
□ 15 **ケイコク**にかかるつり橋を渡る。
□ 16 進入禁止の**ケイコク**看板を立てる。
□ 17 雑誌の**ケンショウ**に当選した。
□ 18 交通事故の現場**ケンショウ**を行う。
□ 19 監視カメラによって疑惑が**ハ**れた。
□ 20 机の角に足をぶつけて**ハ**れ上がる。
□ 21 青銅を溶かして像を**イ**る。
□ 22 眼光、人を**イ**る。
□ 23 **コショウ**の水質を調査する。
□ 24 **コショウ**した時計を修理に出す。

標準解答

1 慶事
2 掲示
3 整腸
4 清澄
5 隅
6 墨
7 州
8 巣
9 管制
10 閑静
11 懐柔
12 怪獣
13 謁見
14 越権
15 渓谷
16 警告
17 懸賞
18 検証
19 晴
20 腫
21 鋳
22 射
23 湖沼
24 故障

目標正答率
85%

頻出度 B

25 古いケイコウ灯を取り替える。
26 散歩に水をケイコウする。

27 キュウチに追い込まれる。
28 小学校の校長とはキュウチの仲だ。

29 本番を前にキンチョウが高まる。
30 キンチョウに値する良い講演だ。

31 父はカンヨウな態度をとった。
32 窓辺にカンヨウ植物を置く。

33 山菜をツんでかごに入れる。
34 目のツんだセーターを着る。

35 シンギのほどは定かではない。
36 国会で予算をシンギする。

37 時間をサいて美術展をおとずれた。
38 庭にサく草花をめでる。

39 熟練の技が子にケイショウされる。
40 飽食の時代にケイショウを鳴らす。

41 消息不明でソウサク願いを出す。
42 国語の授業で物語をソウサクした。

43 吹雪が登頂のショウガイとなった。
44 彼のショウガイを本にまとめた。

45 母屋をフシンすることにした。
46 会社の再興にフシンする。

47 野球はセンセイ攻撃が重要だ。
48 試合前に選手センセイを行う。

49 彼女は自由ホンポウにふるまった。
50 ホンポウより諸手当の方が高い。

51 事件の容疑者がケンキョされた。
52 ケンキョな態度で話をうかがう。

53 眼光シハイに徹し文を読み進めた。
54 優勝力士にシハイが贈られた。

55 領土をオカして派兵する。
56 過ちをオカしてはならない。

25 蛍光
26 携行
27 窮地
28 旧知
29 緊張
30 謹聴
31 寛容
32 観葉
33 摘
34 詰
35 真偽
36 審議
37 割
38 咲
39 継承
40 警鐘

41 捜索
42 創作
43 障害
44 生涯
45 普請
46 腐心
47 先制
48 宣誓
49 奔放
50 本俸
51 検挙
52 謙虚
53 紙背
54 賜杯
55 侵
56 犯

合否の分かれ目！

頻出度

B

同音・同訓異字③

目標正答率85%

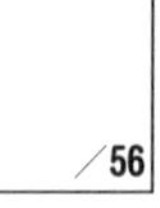

※次の――線のカタカナを漢字に直せ。

□1 提案の是非をシンギした。
□2 シンギにもとるひどい行いだ。
□3 体のヘイコウをとりながら上る。
□4 愚痴を聞かされヘイコウした。
□5 コウハイした街を建て直す。
□6 入社してきたコウハイを指導する。
□7 カンヨウ句を使って表現する。
□8 教育には忍耐がカンヨウである。
□9 市は納税をカンショウしている。
□10 国境にカンショウ地帯がある。
□11 隣の犬は気がアラい。
□12 肌のきめがアラい。

□13 世論をカンキした演説だ。
□14 冬は時々、室内をカンキしよう。
□15 ボートで川の中スに渡った。
□16 しょう油とスでたれを作った。
□17 盛大なソウコウ会を開いた。
□18 小説のソウコウができあがった。
□19 都心では高層ビルがイカンを誇る。
□20 部下の失態はまことにイカンです。
□21 引っ越しの荷物を箱にツめる。
□22 春の野原でレンゲの花をツんだ。
□23 山にカゲンの月がかかっている。
□24 うつむきカゲンに座っていた。

標準解答

1 審議
2 信義
3 平衡
4 閉口
5 荒廃
6 後輩
7 慣用
8 肝要
9 勧奨
10 緩衝
11 荒
12 粗

13 喚起
14 換気
15 州
16 酢
17 壮行
18 草稿
19 偉観
20 遺憾
21 詰
22 摘
23 下弦
24 加減

□25 自らの失態を**ケンキョ**に反省する。
□26 容疑者が**ケンキョ**された。
□27 傷口を蒸留水で**センジョウ**する。
□28 **センジョウ**地に果樹園を作る。
□29 家の**ウラ**庭に小さな畑を作る。
□30 **ウラ**風が海から潮の香りを運ぶ。
□31 **カンプ**なきまでに論破される。
□32 上半身裸で**カンプ**摩擦をする。
□33 首相の**コウテイ**を訪問した。
□34 車で一時間の**コウテイ**です。
□35 若い頃は純文学に**ケイトウ**した。
□36 社内の命令**ケイトウ**があいまいだ。
□37 代議士が税金で**シフク**を肥やした。
□38 食後の一服が**シフク**のときだ。
□39 国政の**スウキ**に影響を及ぼす。
□40 **スウキ**な運命に翻弄された人生だ。

□41 **ドレイ**制は人道に対する罪だ。
□42 干支の形の**ドレイ**を玄関に飾る。
□43 黒松の**ボンサイ**に水をやる。
□44 **ボンサイ**でも解ける簡単な問題だ。
□45 電車は**マ**もなく発車する。
□46 歴史的な事件を**マ**の当たりにした。
□47 美術館で名画を**カンショウ**する。
□48 **カンショウ**用の熱帯魚を飼う。
□49 **カブン**にして知らない話だ。
□50 **カブン**なお礼に恐縮する。
□51 医師の**ゴシン**が問題となっている。
□52 女性は**ゴシン**術を覚えるとよい。
□53 無実の罪で**ユウシュウ**の身となる。
□54 優勝して**ユウシュウ**の美を飾る。
□55 文化の**ケイショウ**に努める。
□56 環境破壊に**ケイショウ**を鳴らす。

25 謙虚
26 検挙
27 洗浄
28 扇状
29 裏
30 浦
31 完膚
32 乾布
33 公邸
34 行程
35 傾倒
36 系統
37 私腹
38 至福
39 枢機
40 数奇

41 奴隷
42 土鈴
43 盆栽
44 凡才
45 間
46 目
47 鑑賞
48 観賞
49 寡聞
50 過分
51 誤診
52 護身
53 幽囚
54 有終
55 継承
56 警鐘

合否の分かれ目！

頻出度

B

同音・同訓異字—

※次の——線のカタカナを漢字に直せ。

- □ 1 **ケイシャ**の中でひよこが生まれる。
- □ 2 **ケイシャ**のきつい坂道を上った。
- □ 3 政府は貯蓄を**カンショウ**している。
- □ 4 南の島々には**カンショウ**が多い。
- □ 5 時間を**サ**いて人に会う。
- □ 6 絹を**サ**くような悲鳴を上げる。
- □ 7 歴代の**コウテイ**が眠る墓を訪ねた。
- □ 8 作業**コウテイ**を一から見直した。
- □ 9 連日の雨で**センタク**物がたまる。
- □ 10 究極の**センタク**を迫られる。
- □ 11 窓の外に**ソウカン**な景色が広がる。
- □ 12 十年前に**ソウカン**された雑誌だ。
- □ 13 性格を複数の**ルイケイ**に分ける。
- □ 14 月別の売り上げを**ルイケイ**する。
- □ 15 かみそりの**ハ**を研ぐ。
- □ 16 世間の口の**ハ**に上る。
- □ 17 政府が**トクレイ**として許可した。
- □ 18 部下を**トクレイ**し完成を急がせた。
- □ 19 村の老人から民謡を**サイフ**する。
- □ 20 支払いのため**サイフ**を取り出した。
- □ 21 真夜中の空に**カゲン**の月が昇る。
- □ 22 子供が相手なので手**カゲン**する。
- □ 23 産業の復興に**コウケン**する。
- □ 24 **コウケン**人として世話をする。

目標正答率 85%

／56

標準解答

1 鶏舎 2 傾斜 3 勧奨 4 環礁 5 割 6 裂 7 皇帝 8 工程 9 洗濯 10 選択 11 壮観 12 創刊

13 類型 14 累計 15 刃 16 端 17 特例 18 督励 19 採譜 20 財布 21 下弦 22 加減 23 貢献 24 後見

□□25 再会した息子をホウヨウする。
□□26 上司はホウヨウ力の豊かな人だ。
□□27 毎週病院で人工トウセキを受ける。
□□28 首相と同じトウセキから離脱する。
□□29 罪にケイチョウは関係ないとする。
□□30 ケイチョウ休暇が認められた。
□□31 生徒ソウダイとして壇上に上った。
□□32 ソウダイな山を背景に撮影する。
□□33 キュウカン地を買い上げる。
□□34 病院にキュウカンが運ばれた。
□□35 会社でショウガイを担当する。
□□36 ショウガイ物をよけて進む。
□□37 自動車からのハイキが問題になる。
□□38 ハイキされた資源を再利用する。
□□39 キャクインを踏んだしゃれた詩だ。
□□40 キャクイン教授として招かれた。

□□41 ますますごソウケンで何よりです。
□□42 一家の生活をソウケンに担う。
□□43 戦争で国土がコウハイした。
□□44 入部してきたコウハイを指導する。
□□45 贈り物をホウソウ紙につつんだ。
□□46 ホウソウ界で活躍する。
□□47 彼女の話のシンギを確かめる。
□□48 彼の行動はシンギにもとる。
□□49 血液は体中をジュンカンしている。
□□50 ジュンカンの冊子が配達された。
□□51 町はセンサイに遭わず残った。
□□52 とてもセンサイな筆致だ。
□□53 知識にウえた生活をしている。
□□54 人間平等の理念をウえつけた。
□□55 カンヨウの精神をもって当たる。
□□56 何事も継続がカンヨウである。

25 抱擁
26 包容
27 透析
28 党籍
29 軽重
30 慶弔
31 総代
32 壮大
33 休閑
34 急患
35 渉外
36 障害
37 排気
38 廃棄
39 脚韻
40 客員

41 壮健
42 双肩
43 荒廃
44 後輩
45 包装
46 法曹
47 真偽
48 信義
49 循環
50 旬刊
51 戦災
52 繊細
53 飢
54 植
55 寛容
56 肝要

合否の分かれ目！

頻出度 **B**

部首―①

目標正答率80%

／56

※次の漢字の部首を記せ。

1 亀
2 老
3 劾
4 幣
5 魔
6 督
7 顕
8 彩
9 貧
10 頃
11 嗅
12 釈
13 奈
14 庸
15 麗
16 矯
17 鶏
18 首
19 遷
20 以
21 戒
22 剛
23 窟
24 巾

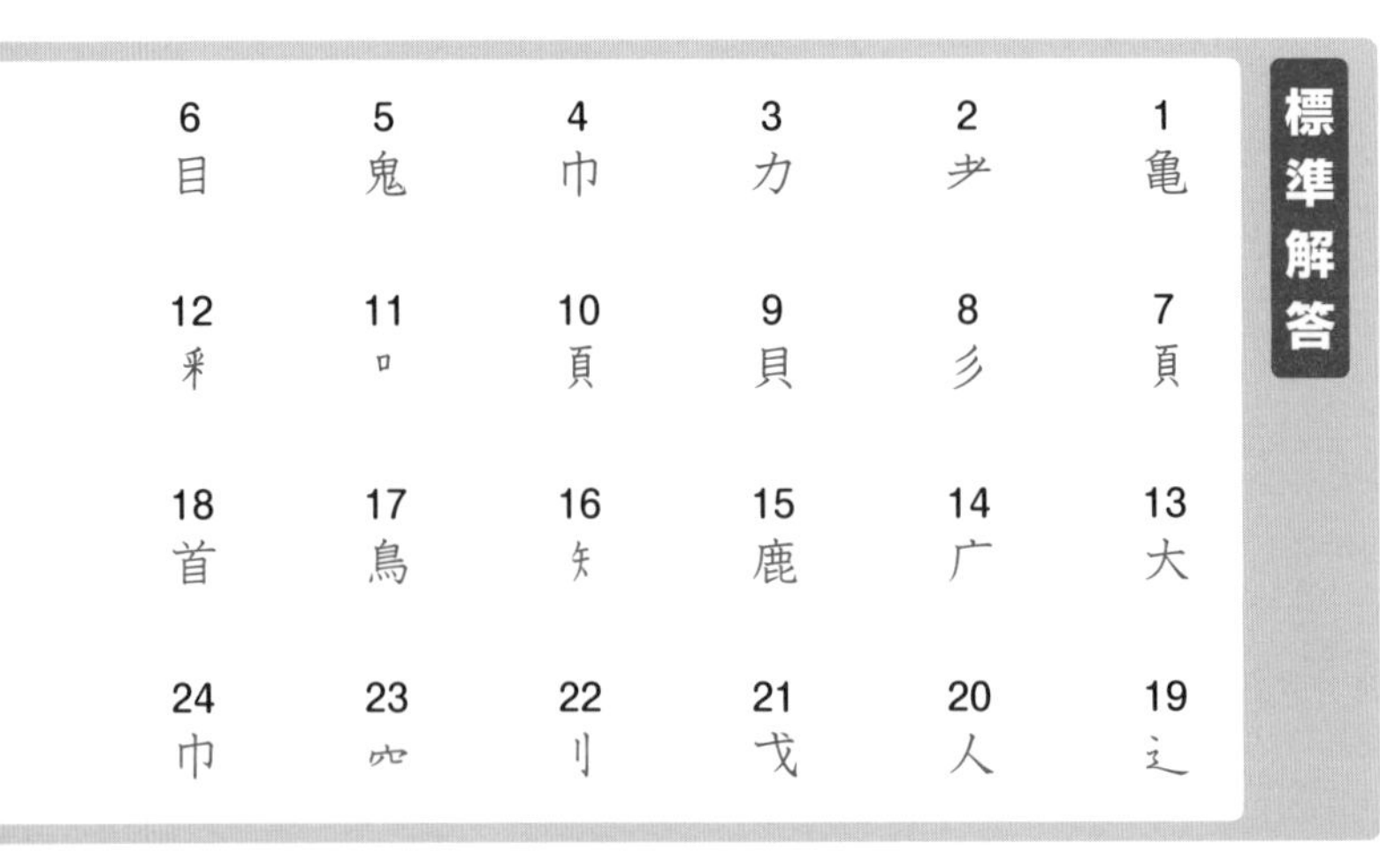

標準解答

1	2	3	4	5	6
亀	耂	力	巾	鬼	目
7	8	9	10	11	12
頁	彡	貝	頁	口	釆
13	14	15	16	17	18
大	广	鹿	矢	鳥	首
19	20	21	22	23	24
辶	人	戈	刂	穴	巾

番号	漢字
□ 25	窃
□ 26	剖
□ 27	甘
□ 28	凡
□ 29	藻
□ 30	轄
□ 31	誓
□ 32	履
□ 33	奪
□ 34	斤
□ 35	生
□ 36	嚇
□ 37	延
□ 38	循
□ 39	奇
□ 40	悠
□ 41	賄
□ 42	漸
□ 43	奨
□ 44	患
□ 45	歳
□ 46	案
□ 47	憲
□ 48	奏
□ 49	差
□ 50	南
□ 51	興
□ 52	衆
□ 53	世
□ 54	某
□ 55	欧
□ 56	衛

番号	解答
25	穴
26	刂
27	甘
28	几
29	艹
30	車
31	言
32	尸
33	大
34	斤
35	生
36	口
37	廴
38	彳
39	大
40	心
41	貝
42	氵
43	大
44	心
45	止
46	木
47	心
48	大
49	工
50	十
51	臼
52	血
53	一
54	木
55	欠
56	行

合否の分かれ目!
頻出度
B

部首―②

※次の漢字の部首を記せ。

1	2	3	4	5	6
騰	視	競	兵	尋	先

7	8	9	10	11	12
正	巡	畜	頑	屯	塾

13	14	15	16	17	18
堕	丈	翻	墜	奮	倣

19	20	21	22	23	24
師	冊	畳	乗	昼	募

目標正答率
80%
／56

標準解答

1	2	3	4	5	6
馬	見	立	八	寸	儿

7	8	9	10	11	12
止	巛	田	頁	屮	土

13	14	15	16	17	18
土	一	羽	土	大	亻

19	20	21	22	23	24
巾	冂	田	ノ	日	力

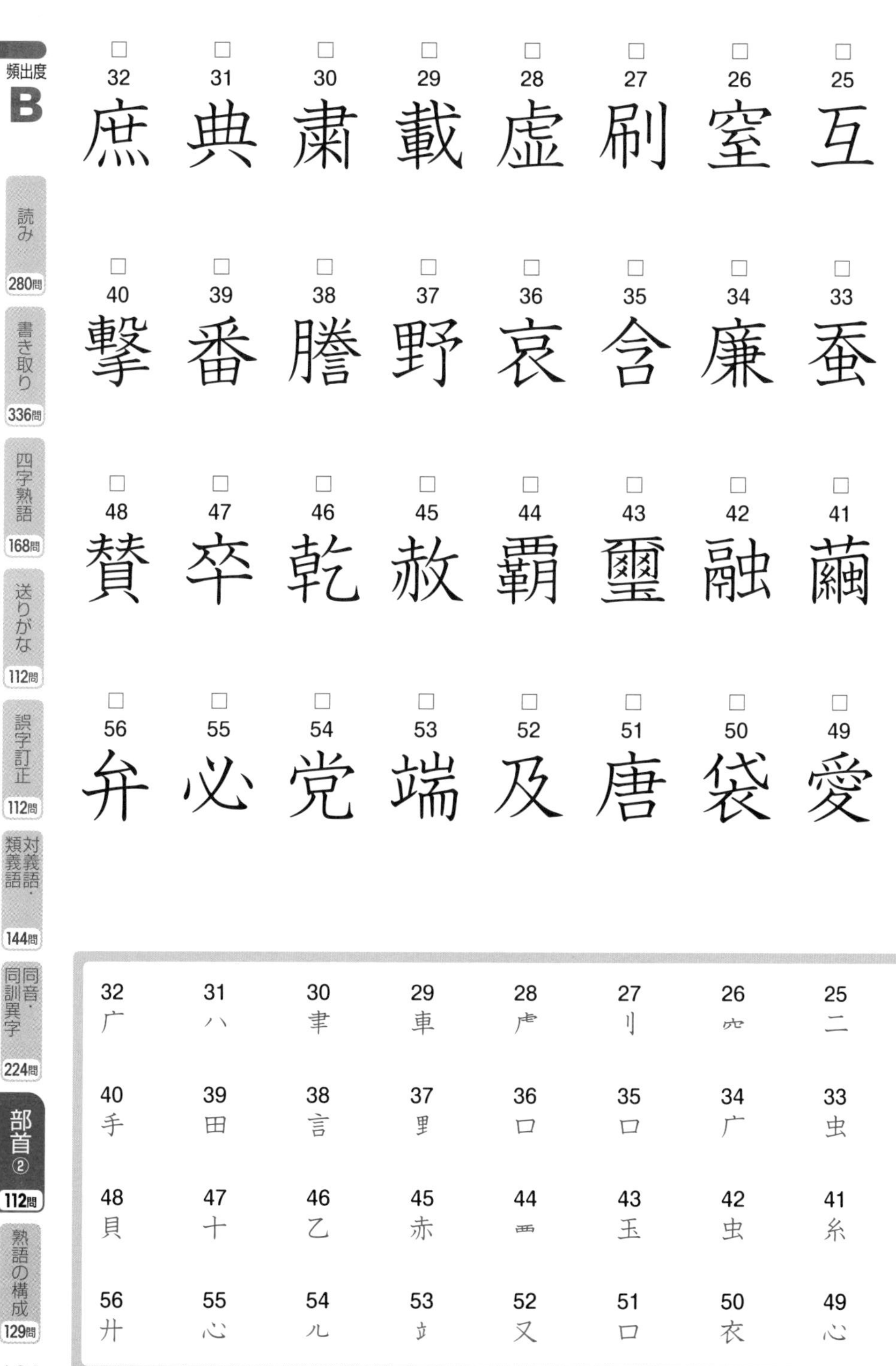

番号	漢字
□25	互
□26	窒
□27	刷
□28	虚
□29	載
□30	粛
□31	典
□32	庶
□33	蚕
□34	廉
□35	含
□36	哀
□37	野
□38	謄
□39	番
□40	撃
□41	繭
□42	融
□43	璽
□44	覇
□45	赦
□46	乾
□47	卒
□48	賛
□49	愛
□50	袋
□51	唐
□52	及
□53	端
□54	党
□55	必
□56	弁

番号	解答
25	二
26	穴
27	刂
28	虍
29	車
30	聿
31	八
32	广
33	虫
34	广
35	口
36	口
37	里
38	言
39	田
40	手
41	糸
42	虫
43	玉
44	襾
45	赤
46	乙
47	十
48	貝
49	心
50	衣
51	口
52	又
53	立
54	儿
55	心
56	廾

合否の分かれ目！
頻出度
B

熟語の構成——①

目標正答率
80%
／48

※熟語の構成には次のようなものがある。

ア　同じような意味の漢字を重ねたもの（例　岩石）
イ　反対または対応の意味を表す字を重ねたもの（例　高低）
ウ　上の字が下の字を修飾しているもの（例　洋画）
エ　下の字が上の字の目的語・補語となっているもの（例　読書）
オ　上の字が下の字の意味を打ち消しているもの（例　非常）

次の熟語はそのどれに当たるか、記号を記せ。

□1　汎論
□2　明瞭
□3　降壇
□4　独酌
□5　添削
□6　納涼
□7　仙境
□8　開拓
□9　山麓
□10　施肥
□11　苦衷
□12　凡庸
□13　庶務
□14　土壌
□15　空隙

標準解答

1　ウ　「広汎に＋論じる」と解釈する
2　ア　どちらも「あきらか」の意
3　エ　「降りる↑壇上から」と解釈する
4　ウ　「ひとりで＋酌をする」と解釈する
5　イ　「加える」⇔「削る」の意
6　エ　「あじわう↑涼しさを」と解釈する
7　ウ　「仙人が住むような＋土地」と解釈する
8　ア　どちらも「ひらく」の意
9　ウ　「山の＋ふもと」と解釈する
10　エ　「施す↑肥料を」と解釈する
11　ウ　「苦しい＋心のうち」と解釈する
12　ア　どちらも「平凡」の意
13　ウ　「雑多な＋事務」と解釈する
14　ア　どちらも「土」の意
15　ア　どちらも「隙間」の意

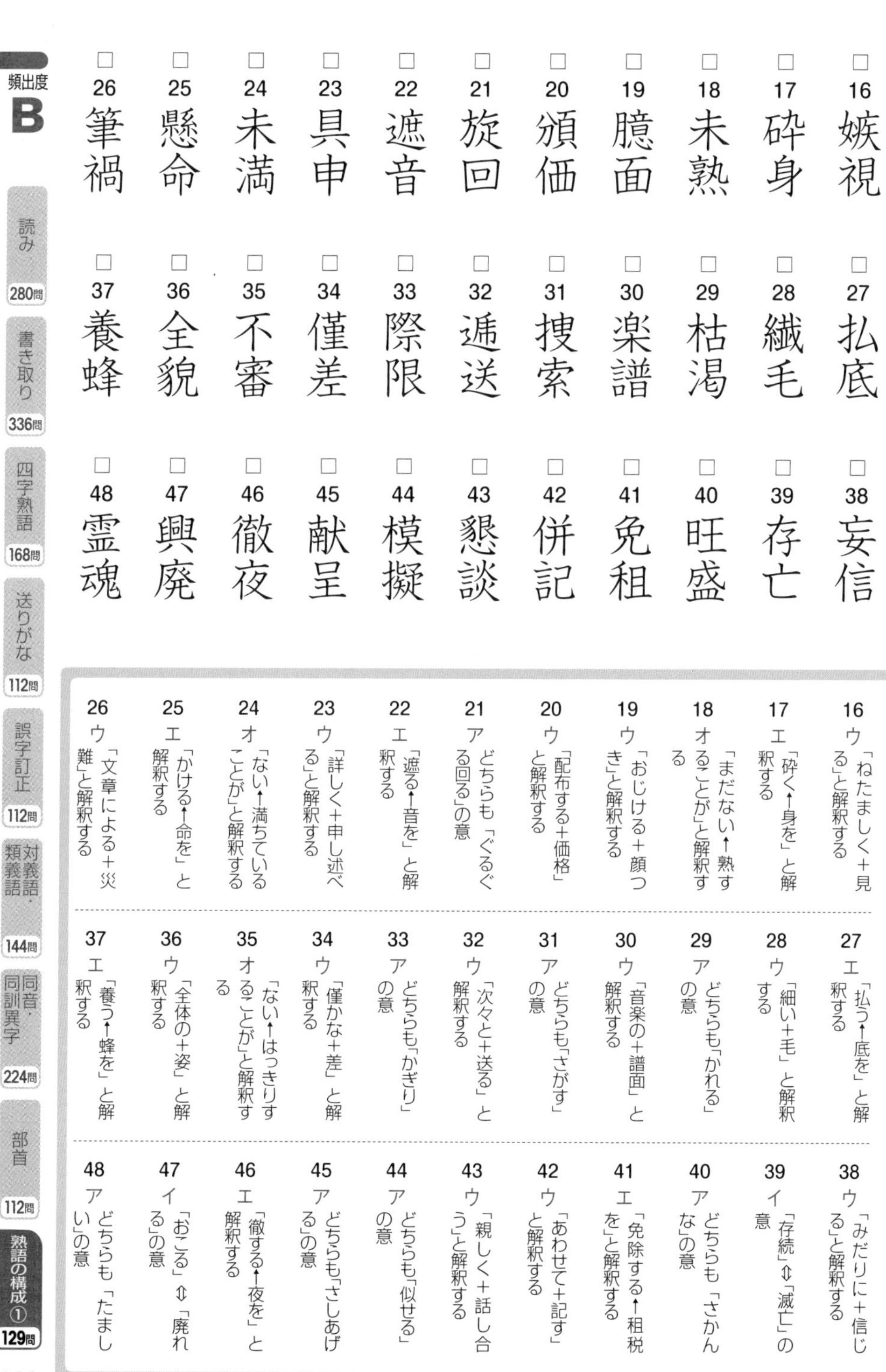

- □16 嫉視
- □17 砕身
- □18 未熟
- □19 臆面
- □20 頒価
- □21 旋回
- □22 遮音
- □23 具申
- □24 未満
- □25 懸命
- □26 筆禍
- □27 払底
- □28 繊毛
- □29 枯渇
- □30 楽譜
- □31 捜索
- □32 逓送
- □33 際限
- □34 僅差
- □35 不審
- □36 全貌
- □37 養蜂
- □38 妄信
- □39 存亡
- □40 旺盛
- □41 免租
- □42 併記
- □43 懇談
- □44 模擬
- □45 献呈
- □46 徹夜
- □47 興廃
- □48 霊魂

---

16 ウ 「ねたましく＋見る」と解釈する

17 エ 「砕く←身を」と解釈する

18 オ 「まだない←熟することが」と解釈する

19 ウ 「おじける＋顔つき」と解釈する

20 ウ 「配布する＋価格」と解釈する

21 ア どちらも「ぐるぐる回る」の意

22 エ 「遮る←音を」と解釈する

23 ウ 「詳しく＋申し述べる」と解釈する

24 オ 「ない←満ちていることが」と解釈する

25 エ 「かける←命を」と解釈する

26 ウ 「文章による＋災難」と解釈する

27 エ 「払う←底を」と解釈する

28 ウ 「細い＋毛」と解釈する

29 ア どちらも「かれる」の意

30 ウ 「音楽の＋譜面」と解釈する

31 ア どちらも「さがす」の意

32 ウ 「次々と＋送る」と解釈する

33 ア どちらも「かぎり」の意

34 ウ 「僅かな＋差」と解釈する

35 オ 「ない←はっきりすることが」と解釈する

36 ウ 「全体の＋姿」と解釈する

37 エ 「養う←蜂を」と解釈する

38 ウ 「みだりに＋信じる」と解釈する

39 イ 「存続」⇔「滅亡」の意

40 ア どちらも「さかんな」の意

41 エ 「免除する←租税を」と解釈する

42 ウ 「あわせて＋記す」と解釈する

43 ウ 「親しく＋話し合う」と解釈する

44 ア どちらも「似せる」の意

45 ア どちらも「さしあげる」の意

46 エ 「徹する←夜を」と解釈する

47 イ 「おこる」⇔「廃れる」の意

48 ア どちらも「たましい」の意

合否の分かれ目！

頻出度 B

熟語の構成──②

目標正答率80%

／81

※熟語の構成には次のようなものがある。

ア 同じような意味の漢字を重ねたもの（例 岩石）
イ 反対または対応の意味を表す字を重ねたもの（例 高低）
ウ 上の字が下の字を修飾しているもの（例 洋画）
エ 下の字が上の字の目的語・補語となっているもの（例 着席）
オ 上の字が下の字の意味を打ち消しているもの（例 非常）

次の熟語はそのどれに当たるか、記号を記せ。

□ 1 施錠
□ 2 徹宵
□ 3 蔑視
□ 4 罷免
□ 5 廃業
□ 6 挑戦
□ 7 崇仏
□ 8 検疫
□ 9 不惑
□ 10 遭難
□ 11 窮地
□ 12 愉悦
□ 13 還暦
□ 14 勅使
□ 15 哀歓

標準解答

1 エ 「かける↑鍵を」と解釈する
2 エ 「徹する↑宵を」と解釈する
3 ウ 「軽蔑して＋みる」と解釈する
4 ア どちらも「やめさせる」の意
5 エ 「廃止する↑職業を」と解釈する
6 エ 「挑む↑戦いに」と解釈する
7 エ 「あがめる↑仏を」と解釈する
8 エ 「検診する↑疫病を」と解釈する
9 オ 「ない↑惑うことが」と解釈する
10 エ 「あう↑難に」と解釈する
11 ウ 「行き詰まった＋場所」と解釈する
12 ア どちらも「たのしい」の意
13 エ 年（暦）の干支に「還（かえ）る↑生まれた年（暦）の干支に」と解釈する
14 ウ 「天皇の意思を伝えるための＋使い」と解釈する
15 イ 「悲しみ」⇔「よろこび」の意

頻出度 B

□16 消臭
□17 雪渓
□18 遺漏
□19 未聞
□20 不慮
□21 紛糾
□22 渉外
□23 硝煙
□24 摩擦
□25 媒体
□26 緩急

□27 献杯
□28 貸借
□29 輪禍
□30 繊細
□31 逸話
□32 捻出
□33 懐疑
□34 勧奨
□35 直轄
□36 堕落
□37 酷似

□38 美醜
□39 甲殻
□40 剛柔
□41 嫌悪
□42 不粋
□43 硬軟
□44 殺菌
□45 憂愁
□46 頻発
□47 是非
□48 譲位

16 エ 「消す←臭いを」と解釈する
17 ウ 「雪で覆われた＋渓谷」と解釈する
18 ア どちらも「もれる」の意
19 オ 「まだしていない←聞くことを」と解釈する
20 オ 「ない←思い巡らせることが」と解釈する
21 ア どちらも「乱れる」の意
22 エ 「交渉する←外部と」と解釈する
23 ウ 「火薬の発火によって生じる＋煙」と解釈する
24 ア どちらも「すれる」の意
25 ウ 「媒介する＋もの」と解釈する
26 イ 「のろい」⇔「速い」の意

27 エ 「さし出す←杯を」と解釈する
28 イ 「貸す」⇔「借りる」の意
29 ウ 「車輪による＋災い」と解釈する
30 ア どちらも「かぼそい」の意
31 ウ 「知られていない＋話」と解釈する
32 ウ 「知恵をしぼって＋出す」と解釈する
33 エ 「いだく←疑いを」と解釈する
34 ア どちらも「すすめる」の意
35 ウ 「直接の＋管轄」と解釈する
36 ア どちらも「落ちぶれる」の意
37 ウ 「ひどく＋似ている」と解釈する

38 イ 「美しい」⇔「醜い」の意
39 ア どちらも「かたいよろい」の意
40 イ 「かたい」⇔「やわらかい」の意
41 ア どちらも「きらう」の意
42 オ 「ない←粋で」と解釈する
43 イ 「硬い」⇔「やわらかい」の意
44 エ 「殺す←細菌を」と解釈する
45 ア どちらも「うれう」の意
46 ウ 「たびたび＋起こる」と解釈する
47 イ 「よい」⇔「悪い」の意
48 エ 「譲る←位を」と解釈する

□49 廃刊
□50 乗除
□51 碑銘
□52 防疫
□53 謙譲
□54 儒教
□55 遭遇
□56 災厄
□57 独吟
□58 撤去
□59 余剰

□60 棋譜
□61 昇降
□62 塑像
□63 暴騰
□64 伏兵
□65 充満
□66 出没
□67 謹慎
□68 随時
□69 岐路
□70 屈伸

□71 虜囚
□72 俊秀
□73 悠久
□74 離礁
□75 得喪
□76 逸品
□77 納棺
□78 打撲
□79 吉凶
□80 併用
□81 閑静

---

49 エ 「やめる↑刊行を」と解釈する
50 イ 「かける」⇔「わる」の意
51 ウ 「石碑に+銘ずる」と解釈する
52 エ 「防ぐ↑疫病を」と解釈する
53 ア どちらも「ゆずる」の意
54 ウ 「儒学の+教え」と解釈する
55 ア どちらも「出あう」の意
56 ア どちらも「わざわい」の意
57 ウ 「一人で+口ずさむ」と解釈する
58 ア どちらも「取り去る」の意
59 ア どちらも「あまる」の意

60 ウ 「碁・将棋の+譜面」と解釈する
61 イ 「昇る」⇔「降りる」の意
62 ウ 「粘土で作った+像」と解釈する
63 ウ 「急激に+あがる」と解釈する
64 ウ 「かくれ伏している+兵」と解釈する
65 ア どちらも「みちる」の意
66 イ 「出現する」⇔「隠れる」の意
67 ア どちらも「つつしむ」の意
68 エ 「したがう↑なりゆきに」と解釈する
69 ウ 「分かれた+道」と解釈する
70 イ 「かがむ」⇔「伸ばす」の意

71 ア どちらも「とらわれの身」の意
72 ア どちらも「すぐれている」の意
73 ア どちらも「長く続く」の意
74 エ 「離れる↑暗礁から」と解釈する
75 イ 「得る」⇔「失う」の意
76 ウ 「すぐれている+品」と解釈する
77 エ 「おさめる↑ひつぎに」と解釈する
78 ア どちらも「うつ」の意
79 イ 「よいこと」⇔「悪いこと」の意
80 ウ 「あわせて+用いる」と解釈する
81 ア どちらも「しずか」の意

合格を確実にする！
ダメ押し問題 664

第3章

合格を確実にする！

頻出度 C

読み―①

※次の――線の読みをひらがなで記せ。

□1 愚か者と**嘲笑**されても気にしない。
□2 水際での**防疫**対策に万全を尽くす。
□3 記者を派遣して実情を**捕捉**する。
□4 一切を捨て煩悩を**解脱**する。
□5 **括弧**を用いて注記を加える。
□6 プロ野球の選手登録を**抹消**された。
□7 社会人としての**倫理**観に欠ける。
□8 飛行機が大きく右に**旋回**する。
□9 **刃先**を研いで切れ味を回復させる。
□10 母が亡くなり**喪**に服しています。
□11 **浅薄**な知識をひけらかす。
□12 テニスの試合で足首を**捻挫**する。
□13 人間の**哀歓**を描いた映画作品だ。
□14 挑戦者が闘志を**沸々**と燃やしている。
□15 長く**等閑視**されてきた問題だ。
□16 不遇な親友の**苦衷**を察する。
□17 照れくさくて顔が**火照**る。
□18 孫の誕生祝いに**内裏**びなを贈った。
□19 **窮余**の策を講じて状況を変える。
□20 ここ数年ですっかり**老**けこんだ。
□21 一里**塚**でしばらく休憩する。
□22 幹の内部が腐って**空洞**になる。
□23 コンピューター上で**擬似**体験する。
□24 試験範囲を**網羅**した参考書だ。

目標正答率 95%

／56

標準解答

1 ちょうしょう
2 ぼうえき
3 ほそく
4 げだつ
5 かっこ
6 まっしょう
7 りんり
8 せんかい
9 はさき
10 も
11 せんぱく
12 ねんざ
13 あいかん
14 ふつふつ
15 とうかんし
16 くちゅう
17 ほて
18 だいり
19 きゅうよ
20 ふ
21 づか
22 くうどう
23 ぎじ
24 もうら

□ 25 息子が大成して母親**冥利**に尽きる。
□ 26 大会を控え、**稽古**に余念がない。
□ 27 出張中、部下に権限を**委譲**する。
□ 28 船底が**岩礁**にぶつかった。
□ 29 **隅々**に及ぶまで詳細に調査した。
□ 30 新政府で**閣僚**に任命される。
□ 31 敵の動きをひそかに**偵察**する。
□ 32 販売が不調で経営が**破綻**した。
□ 33 不況下で会社の存続を**危惧**する。
□ 34 感謝の手紙に思わず**感泣**する。
□ 35 父の**還暦**を祝う会が催された。
□ 36 **予鈴**が鳴ったので教室に戻る。
□ 37 息子を**溺愛**して子離れしていない。
□ 38 報道の**偏向**を憂慮する。
□ 39 まれに見る**卑劣**な犯罪を断罪する。
□ 40 **氾濫**した川には近づかないように。

□ 41 **不祥事**の責任をとって辞める。
□ 42 優雅な**邦楽**の調べが響き渡った。
□ 43 常軌を**逸**した行動だ。
□ 44 創作に夢中で**忘我**の境に入る。
□ 45 ガラスの表面を**研磨**する。
□ 46 火事の焼け跡を見て**慄然**とする。
□ 47 お目に掛かり**恐悦**至極に存じます。
□ 48 激しい内面の**葛藤**で心が苦しい。
□ 49 方言は全国に**遍在**している。
□ 50 川辺に飛び交う**蛍**を観賞する。
□ 51 何かにつけ**臆病**で慎重だ。
□ 52 **嫌疑**をかけられて投獄される。
□ 53 工事が終わり現場から**撤収**する。
□ 54 バラの葉に白い**斑点**が出てきた。
□ 55 幸運にも多額の**懸賞**金を手にした。
□ 56 救世主として人々から**崇拝**された。

25 みょうり
26 けいこ
27 いじょう
28 がんしょう
29 すみずみ
30 かくりょう
31 ていさつ
32 はたん
33 きぐ
34 かんきゅう
35 かんれき
36 よれい
37 できあい
38 へんこう
39 ひれつ
40 はんらん

41 ふしょうじ
42 ほうがく
43 いっ
44 ぼうが
45 けんま
46 りつぜん
47 きょうえつ
48 かっとう
49 へんざい
50 ほたる
51 おくびょう
52 けんぎ
53 てっしゅう
54 はんてん
55 けんしょう
56 すうはい

合格を確実にする！
頻出度
C
読み―②

目標正答率 95%
／56

※次の――線の読みをひらがなで記せ。

□1 **濫伐**で貴重な自然が失われた。
□2 父の**子煩悩**ぶりは近所でも評判だ。
□3 後輩の**愚昧**さにあきれかえった。
□4 **収賄**の疑いで高官が逮捕された。
□5 砲撃の**間隙**を縫って反撃に転じた。
□6 広大な**沃土**で麦を育てる。
□7 小林一茶は**俳諧**師として有名だ。
□8 **瑠璃**の青い光が、実に神秘的だ。
□9 **失踪**した兄の手掛かりを探す。
□10 観客は立ち上がって拍手**喝采**した。
□11 いわれのない**蔑視**に耐えられない。
□12 **怒気**を含んだ声が四方から飛ぶ。
□13 **謙遜**も度を越すと嫌味になる。
□14 肩を**脱臼**して試合を欠場した。
□15 **精緻**ですきのない議論をする。
□16 **戦禍**を被ったが命は無事だった。
□17 **水槽**の中の藻を取り除く。
□18 感動のあまり**涙腺**が緩む。
□19 検査の結果、**腫瘍**は良性だった。
□20 高校卒業以来、何の音**沙汰**もない。
□21 **僧侶**となって修行の日々を送る。
□22 **凄絶**な戦いを経て勝者が決まった。
□23 **羨望**のまなざしで見つめる。
□24 鳥がはるか**虚空**へ飛び去った。

標準解答

1 らんばつ
2 こぼんのう
3 ぐまい
4 しゅうわい
5 かんげき
6 よくど
7 はいかい
8 るり
9 しっそう
10 かっさい
11 べっし
12 どき
13 けんそん
14 だっきゅう
15 せいち
16 せんか
17 すいそう
18 るいせん
19 しゅよう
20 さた
21 そうりょ
22 せいぜつ
23 せんぼう
24 こくう

□ 25 **姻戚**に菓子折りを持ち挨拶に行く。
□ 26 散乱した子供部屋を**整頓**する。
□ 27 ウドは**茎**の部分を食べる野菜だ。
□ 28 堤防が決壊して道路が**冠水**した。
□ 29 四方を山に囲まれた自然の**要塞**だ。
□ 30 事故を**目**の当たりにし声を失った。
□ 31 音楽で**憂鬱**な気持ちを吹き飛ばす。
□ 32 若者らしい**覇気**が感じられない。
□ 33 **脇目**も振らずに仕事に没頭する。
□ 34 真相を確かめようと**詮索**する。
□ 35 逃げ遅れたシカがトラの**餌食**となった。
□ 36 鯨は**哺乳**類に分類される。
□ 37 人気役者の**歌舞伎**の演目が始まる。
□ 38 **由緒**ある寺を歴訪する。
□ 39 **野趣**あふれる情景が広がる。
□ 40 武装勢力に**軟禁**される。

□ 41 負債を繰り上げて**償還**した。
□ 42 功績をたたえて**勲章**を授ける。
□ 43 彼は**自嘲**気味に笑みをこぼした。
□ 44 師匠を前にして弟子が**萎縮**する。
□ 45 **端的**な事例を列挙する。
□ 46 相手の**挑発**に冷静に対処する。
□ 47 目方から**風袋**の重さを引く。
□ 48 子供に**箸**の使い方を教える。
□ 49 十年に一人という**逸材**の投手だ。
□ 50 **肝腎**な問題を会議の冒頭で話す。
□ 51 近代文学の**牙城**となる文芸誌だ。
□ 52 温暖化で氷河の**融解**が進んでいる。
□ 53 財政状態が**窮迫**している。
□ 54 外部の騒音を**遮断**する。
□ 55 組織の**中核**にいる人物だ。
□ 56 漢詩の美しい**韻**が心に響く。

25 いんせき
26 せいとん
27 くき
28 かんすい
29 ようさい
30 ま
31 ゆううつ
32 はき
33 わきめ
34 せんさく
35 えじき
36 ほにゅう
37 かぶき
38 ゆいしょ
39 やしゅ
40 なんきん

41 しょうかん
42 くんしょう
43 じちょう
44 いしゅく
45 たんてき
46 ちょうはつ
47 ふうたい
48 はし
49 いつざい
50 かんじん
51 がじょう
52 ゆうかい
53 きゅうはく
54 しゃだん
55 ちゅうかく
56 いん

合格を確実にする！

頻出度

C

読み③

目標正答率95%

／56

※次の――線の読みをひらがなで記せ。

□1 人を**愚弄**した行動が非難される。
□2 **断崖**の上に立って眼下を見下ろす。
□3 冷蔵庫に**脱臭**剤を入れる。
□4 道端に黄色い**水仙**が咲いている。
□5 彫金の**巧緻**な技術に驚嘆する。
□6 法廷で陳述する前に**宣誓**する。
□7 不用意な言動で他人に**勘繰**られる。
□8 **哀愁**を帯びた音楽が心に染みる。
□9 多数の**摩天楼**を見下ろす。
□10 伝統と流行を**融合**したデザインだ。
□11 **鳥籠**の中でウグイスを飼う。
□12 精巧な偽造**紙幣**が見つかった。
□13 新体制への**恭順**を示した。
□14 組織内の**自浄**作用が働いていない。
□15 犬は人間より**嗅覚**が優れている。
□16 **所詮**この程度だろうと侮る。
□17 **窮状**を訴える人々が押し寄せた。
□18 二人の実力は**伯仲**している。
□19 九州の**焼酎**をたらふく飲んだ。
□20 **巾着**に小銭を入れて買い物をする。
□21 病状が軽く自然に**治癒**した。
□22 **洞窟**の中を探検隊が進んでいく。
□23 百戦**練磨**のベテランを登用する。
□24 計画性のない**刹那**主義の若者だ。

標準解答

1 ぐろう
2 だんがい
3 だっしゅう
4 すいせん
5 こうち
6 せんせい
7 かんぐ
8 あいしゅう
9 まてんろう
10 ゆうごう
11 とりかご
12 しへい
13 きょうじゅん
14 じじょう
15 きゅうかく
16 しょせん
17 きゅうじょう
18 はくちゅう
19 しょうちゅう
20 きんちゃく
21 ちゆ
22 どうくつ
23 れんま
24 せつな

□25 **出藍**の誉れとのお褒めを頂いた。
□26 **罵倒**されても彼は冷静に対応した。
□27 長年の**悪弊**を改める。
□28 幹部が**賄賂**を受け取り逮捕された。
□29 **比喩**が上手なカウンセラーだった。
□30 眠っていた才能がついに**覚醒**した。
□31 関税を**撤廃**して輸入を促進する。
□32 激しく衝突して壁に**亀裂**が入った。
□33 裁判で**禁錮**刑が言い渡された。
□34 **鋼**のような体つきをしている。
□35 見る影もないほどの**変貌**を遂げた。
□36 同じ**釜**の飯を食った間柄だ。
□37 保険の**約款**に目を通す。
□38 上司の厳しい**叱正**を受け入れる。
□39 **四股**を踏んで精神を整える。
□40 早朝から寺で**勤行**に励む。

□41 晴天続きで**渇水**に悩まされる。
□42 **一升**瓶の日本酒を贈る。
□43 目元に幼い頃の**面影**が残っている。
□44 **怨念**を感じる不気味な巨木だ。
□45 どんな知識も**貪欲**に吸収する。
□46 軽音楽部で**鍵盤**楽器を担当する。
□47 貯金を取り崩して費用を**捻出**した。
□48 **冶金**の技術に磨きをかける。
□49 古代都市の**痕跡**が残されている。
□50 **右舷**に着けていた小舟で逃げた。
□51 避難訓練で防災**頭巾**をかぶった。
□52 **駄々**をこねて親を困らせる。
□53 **配膳**係が料理を卓上に並べる。
□54 **囚人**として刑務所に収監される。
□55 母に**宛**てた手紙を読み返す。
□56 伐採した木の皮を**剝**いで製材する。

25 しゅつらん
26 ばとう
27 あくへい
28 わいろ
29 ひゆ
30 かくせい
31 てっぱい
32 きれつ
33 きんこ
34 はがね
35 へんぼう
36 かま
37 やっかん
38 しっせい
39 しこ
40 ごんぎょう
41 かっすい
42 いっしょう
43 おもかげ
44 おんねん
45 どんよく
46 けんばん
47 ねんしゅつ
48 やきん
49 こんせき
50 うげん
51 ずきん
52 だだ
53 はいぜん
54 しゅうじん
55 あ
56 は

合格を確実にする！

頻出度 C

書き取り——①

※次の——線のカタカナを漢字に直せ。

□ 1 災害で山のジハダが露出する。
□ 2 ヒゴロから早起きを心がけている。
□ 3 初戦敗退のクツジョクに耐える。
□ 4 朝礼で社旗をケイヨウする。
□ 5 彼はコウショウな趣味を持つ。
□ 6 台風で屋根がイタんだ。
□ 7 粗雑な扱いに烈火のごとくイカる。
□ 8 積み立てた旅費をガイサンした。
□ 9 足を滑らせてシリモチをついた。
□ 10 動物のハクセイを展示する。
□ 11 県警がソウサ本部を設置する。
□ 12 バンソウに乗って歌声が響いた。
□ 13 ネンドで作った人形を飾る。
□ 14 エキショウ画面の明度を調整する。
□ 15 サケのチギョを川に放流する。
□ 16 チンプな考えしか思い浮かばない。
□ 17 道端で口汚くノノシり合う。
□ 18 町内会会長の就任をコジする。
□ 19 ここで引き返すのがケンメイだ。
□ 20 長男が葬儀のモシュを務める。
□ 21 日本的でセンサイな筆致だ。
□ 22 庭の伸びきった雑草をカる。
□ 23 偉人のショウガイを伝記でよむ。
□ 24 先行きはラッカンを許さない。

標準解答

1 地肌
2 日頃
3 屈辱
4 掲揚
5 高尚
6 傷
7 怒
8 概算
9 尻餅
10 剥製
11 捜査
12 伴奏
13 粘土
14 液晶
15 稚魚
16 陳腐
17 罵
18 固辞
19 賢明
20 喪主
21 繊細
22 刈
23 生涯
24 楽観

目標正答率 85%

／56

□25 父の生き方には**テツガク**がある。
□26 お彼岸には先祖の**クヨウ**をする。
□27 口うるさいので**ケム**たがられる。
□28 **ワク**に縛られない行動をとる。
□29 突然の告白に**ドウヨウ**を隠せない。
□30 他の**ツイズイ**を許さない好成績だ。
□31 責任を**マヌカ**れることはできない。
□32 **ジョウザイ**を集め本堂を修理する。
□33 **ケイジ**用の白いネクタイを買う。
□34 誘拐され地下室に**ユウヘイ**された。
□35 次代を担う**ホウソウ**を育成する。
□36 依然**ショウコウ**状態が続いている。
□37 頂上からの眺望は**ソウカン**だ。
□38 部屋の汚れは猫の**シワザ**だ。
□39 **コウソ**の働きで油分を落とす。
□40 速やかで適切な**ソチ**が求められる。

□41 どんな時も**ケンキョ**な姿勢を貫く。
□42 世界有数の石油**マイゾウ**量を誇る。
□43 若手社員に**シラハ**の矢が立った。
□44 地道な**ボキン**活動が実を結んだ。
□45 校庭の**カダン**を手入れする。
□46 加齢により**チョウリョク**が衰える。
□47 請われて政党の**ソウサイ**に就く。
□48 自社の**モホウ**品の対策に手を焼く。
□49 約束の時間を**カンチガ**いしていた。
□50 居合わせた警官が男を**タイホ**した。
□51 業績不振で**カイコ**を言い渡された。
□52 **カンヨウ**で思いやりのある人物だ。
□53 土台となる**ソセキ**を定める。
□54 県西部に暴風**ハロウ**警報が出た。
□55 経費削減で**ジョウヨ**金が出た。
□56 経験を積んで**シンビ**眼を養う。

25 哲学
26 供養
27 煙
28 枠
29 動揺
30 追随
31 免
32 浄財
33 慶事
34 幽閉
35 法曹
36 小康
37 壮観
38 仕業
39 酵素
40 措置

41 謙虚
42 埋蔵
43 白羽
44 募金
45 花壇
46 聴力
47 総裁
48 模倣
49 勘違
50 逮捕
51 解雇
52 寛容
53 礎石
54 波浪
55 剰余
56 審美

合格を確実にする！

頻出度 C

書き取り ②

※次の――線のカタカナを漢字に直せ。

□ 1 時間切れで一部を**カツアイ**した。
□ 2 仏像の**カイゲン**の儀式を執り行う。
□ 3 弟の芸は**シロウト**離れしている。
□ 4 **サイホウ**が趣味で自分の服も作る。
□ 5 政府が景気の**フヨウ**策を講じる。
□ 6 英作文の**テンサク**指導を受ける。
□ 7 **カイヅカ**の発掘調査を行う。
□ 8 わかめと**トウフ**のみそ汁を作った。
□ 9 **オウシュウ**の各地に旅行する。
□ 10 世代の**カクゼツ**を痛感する。
□ 11 **ココロニク**いまでの演出をする。
□ 12 会社発展のための目標を**カカ**げる。
□ 13 損得**カンジョウ**してから判断する。
□ 14 不法入国者を本国に**ソウカン**する。
□ 15 **サジキ**で演劇を見物する。
□ 16 本膳の後に**チャヅ**けを出した。
□ 17 画板を**タズサ**えて写生に行った。
□ 18 **チュウカイ**して手数料を得る。
□ 19 親に怒られて**カンムリ**を曲げた。
□ 20 徒競走の途中で**ワキバラ**が痛んだ。
□ 21 殺人**ミスイ**事件の初公判が始まる。
□ 22 社員の**イアン**旅行を企画した。
□ 23 銀行から多額の**ユウシ**を受けた。
□ 24 友人を**サソ**って買い物に繰り出す。

目標正答率 85%

／56

標準解答

1 割愛
2 開眼
3 素人
4 裁縫
5 浮揚
6 添削
7 貝塚
8 豆腐
9 欧州
10 隔絶
11 心憎
12 掲
13 勘定
14 送還
15 桟敷
16 茶漬
17 携
18 仲介
19 冠
20 脇腹
21 未遂
22 慰安
23 融資
24 誘

□25 **ホニュウルイ**は脊椎動物の一種だ。
□26 少し下がった**マユゲ**が愛らしい。
□27 冬を迎え**ダンボウ**が恋しい。
□28 試合終盤に**イッシ**報いた。
□29 **ヒゴロ**から節水を心がける。
□30 **ハンソデ**の制服に身を包んだ。
□31 **ケイジ**が容疑者を追い詰めた。
□32 遠浅の入り**エ**で人が泳いでいる。
□33 青年は自らの生い立ちを**ノロ**った。
□34 **ユウキュウ**の昔を物語る。
□35 梅干しを見て口中に**ツバ**が湧いた。
□36 帰宅して、まず**フロ**で汗を流した。
□37 亡き人への**ボジョウ**が募る。
□38 **ガンタン**に今年の目標を語った。
□39 自治会長への就任を**ヨウセイ**する。
□40 肌が白い人種は**ヒトミ**の色も薄い。

□41 **ノドモト**に魚の骨が引っかかった。
□42 **ホウシ**活動に積極的に参加する。
□43 雪辱を果たし**シハイ**を手にした。
□44 自然の驚異を**マ**の当たりにする。
□45 高熱にうなされ**ゲンカク**を見た。
□46 新入社員に会社の未来を**タク**す。
□47 野菜と牛肉を**ナベ**に放り込む。
□48 **カカン**な姿勢で挑む。
□49 **コウミョウ**で悪質な犯行だ。
□50 **ソトヅラ**は良いが家では横柄だ。
□51 **チンモク**を破って言葉を発する。
□52 孔子は**ジュガク**の祖とされる。
□53 **カゴ**にみかんを入れる。
□54 友人宅を訪ねたが**ダレ**もいない。
□55 **キョウコウ**な姿勢を崩さない。
□56 **トウリュウモン**となる賞を得る。

25 哺乳類
26 眉毛
27 暖房
28 一矢
29 日頃
30 半袖
31 刑事
32 江
33 呪
34 悠久
35 唾
36 風呂
37 慕情
38 元旦
39 要請
40 瞳

41 喉元
42 奉仕
43 賜杯
44 目
45 幻覚
46 託
47 鍋
48 果敢
49 巧妙
50 外面
51 沈黙
52 儒学
53 籠
54 誰
55 強硬
56 登竜門

合格を確実にする！
頻出度

書き取り――③

目標正答率
85%
／56

※次の――線のカタカナを漢字に直せ。

□1 政治のヘイソク感を打開する。
□2 少しのミスが事故をユウハツする。
□3 豊かな湯量の温泉がワいている。
□4 被告は裁判官にイノチゴいをした。
□5 検診で胃カイヨウが確認された。
□6 たくさんのミツバチが花に集まる。
□7 弟は自分をオレと呼ぶ。
□8 クラヤミの中じっと息をひそめる。
□9 反論をしたがイッシュウされた。
□10 観客は俳優のビボウに魅了された。
□11 警察官がケンジュウを所持する。
□12 学校に遅刻して先生にシカられた。
□13 宝石がコウゴウしい輝きを放つ。
□14 ニクまれっ子世にはばかる。
□15 海で足がつってオボれそうになる。
□16 何のヘンテツもないテーブルだ。
□17 トクシュな装置を使って取り外す。
□18 二重チョウボは禁止されている。
□19 クジラの潮吹きを間近で見る。
□20 他人の自由を不当にソクバクする。
□21 人をウラむと自分に返ってくる。
□22 新入生がウイウイしく抱負を語る。
□23 天文学のガイネンを変える発見だ。
□24 シャオン効果のある窓を設置した。

標準解答

1 閉塞
2 誘発
3 湧
4 命乞
5 潰瘍
6 蜜蜂
7 俺
8 暗闇
9 一蹴
10 美貌
11 拳銃
12 叱
13 神神(々)
14 憎
15 溺
16 変哲
17 特殊
18 帳簿
19 鯨
20 束縛
21 恨
22 初初(々)
23 概念
24 遮音

頻出度 C

□ 25 夫にドウハンして会に出席した。
□ 26 財団のコモンへの就任を打診された。
□ 27 バラのホウコウがただよっている。
□ 28 運動中に転倒し足のコウを痛めた。
□ 29 原生林がショウメツの危機にある。
□ 30 傷病者を病院にハンソウする。
□ 31 どうも言動がうさんクサい。
□ 32 人知をチョウエツした技術を持つ。
□ 33 独裁政権がキュウチに陥った。
□ 34 気分転換にホウロウの旅に出た。
□ 35 冬至でヨクソウにゆずを浮かべた。
□ 36 貿易の要衝としてサカえた街だ。
□ 37 クオンの理念を掲げて進む。
□ 38 残虐なケイバツは禁止されている。
□ 39 カイキ現象の真偽を確かめる。
□ 40 老朽化施設のシュウゼンを行う。
□ 41 現場にショウエンが立ちこめた。
□ 42 雨続きで芝生がシメりがちだ。
□ 43 ハえある優勝旗を手にした。
□ 44 水田で稲がホを垂れている。
□ 45 カクしていた問題が発覚した。
□ 46 セイジョウな山の空気を吸った。
□ 47 教授に退室の許しをコう。
□ 48 ドロと汗にまみれて懸命に働く。
□ 49 サツバツとした土地に植樹を行う。
□ 50 政治家がシセイの声を聞く。
□ 51 生ビョウホウは大けがのもと。
□ 52 夏場は生ものがクサりやすい。
□ 53 敵方にフオンな動きが見られる。
□ 54 コウショウな論理を拝聴する。
□ 55 経歴サショウで起訴される。
□ 56 米価のボウトウが止まらない。

25	26	27	28	29	30	31	32	33	34	35	36	37	38	39	40
同伴	顧問	芳香	甲	消滅	搬送	臭	超越	窮地	放浪	浴槽	栄	久遠	刑罰	怪奇	修繕

41	42	43	44	45	46	47	48	49	50	51	52	53	54	55	56
硝煙	湿	栄	穂	隠	清浄	請	泥	殺伐	市井	兵法	腐	不穏	高尚	詐称	暴騰

書き取り――④

※次の――線のカタカナを漢字に直せ。

□1 不況でシタウけ企業が倒産した。
□2 身の代金目的のユウカイだ。
□3 自然破壊にケイショウを鳴らす。
□4 検察官のキュウケイを傾聴した。
□5 町内会の知らせがケイジされた。
□6 トンネルがついにカンツウした。
□7 地下に送電線をマイセツする。
□8 師範の強さは弟子とケタチガいだ。
□9 国際情勢にウトい人だ。
□10 親類におセチ料理を振る舞う。
□11 戦地から無事にキカンした。
□12 センパクな知識をひけらかす。
□13 戦場の取材はまさにイノチガけだ。
□14 夕食のコンダテに悩む。
□15 柔道で得意のウチマタが決まった。
□16 食品のにおいをカいで確かめる。
□17 アイゾめの浴衣を買い求めた。
□18 村はセキとして人影一つない。
□19 同僚との間柄をジャスイされた。
□20 ソシナを持参して謝罪に出向いた。
□21 はしにも棒にもカからない存在だ。
□22 読書量の多い人はゴイも豊富だ。
□23 はがきにハる切手を買い求める。
□24 メイリョウな発音で朗読する。

目標正答率 85%

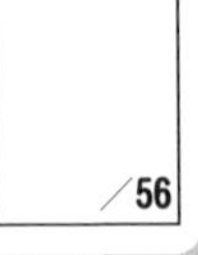

標準解答

1 下請
2 誘拐
3 警鐘
4 求刑
5 掲示
6 貫通
7 埋設
8 桁違
9 疎
10 節
11 帰還
12 浅薄
13 命懸
14 献立
15 内股
16 嗅
17 藍染
18 寂
19 邪推
20 粗品
21 掛
22 語彙
23 貼
24 明瞭

□25 魚を**クシザ**しにして囲炉裏で焼く。
□26 運動を取り入れて健康的に**ヤ**せる。
□27 虎が鋭い**キバ**で獲物を捕らえた。
□28 **カコク**な訓練を必死に耐えた。
□29 親の**ヒザモト**を離れて都会にでる。
□30 柱に刀で**キ**った跡が残っている。
□31 役場の**スイトウ**係として働く。
□32 株を売却して赤字を**ホテン**する。
□33 **キバ**戦は運動会の花形種目だ。
□34 **シン**まで冷えた体を温める。
□35 人魚**ヒメ**が登場する絵本を読む。
□36 案件の解決は**ショウビ**の急だ。
□37 計画の**コウガイ**を話す。
□38 重要な箇所に**フセン**をはっておく。
□39 業務の**シンチョク**状況を報告する。
□40 美しい**ハシ**使いは品格を上げる。

□41 みやげに**センベイ**を購入する。
□42 情け**ヨウシャ**なくしかりつける。
□43 前例を**フ**まえて意見を述べる。
□44 人を**アザケ**るような言い方は慎む。
□45 隣家との**スキマ**に犬が入り込んだ。
□46 **ガイゼン**性が低くて信じられない。
□47 池に魚の**シガイ**が浮いている。
□48 **クマ**よけの鈴を首に提げる。
□49 **ガダン**から作風が高く評価される。
□50 社員の積極性を好意的に**トラ**える。
□51 釣り針の先に**エサ**を取りつける。
□52 人のふり見て**ワ**がふり直せ。
□53 好きな小説を**ク**り返し読む。
□54 しっかり**フウ**をして投かんする。
□55 一里**ヅカ**を数えながら旅をする。
□56 商品にはられた値札を**ハ**がす。

25	26	27	28	29	30	31	32	33	34	35	36	37	38	39	40
串刺	痩	牙	苛(過)酷	膝元	斬	出納	補塡	騎馬	芯	姫	焦眉	梗概	付箋	進捗	箸

41	42	43	44	45	46	47	48	49	50	51	52	53	54	55	56
煎餅	容赦	踏	嘲	隙間	蓋然	死骸	熊	画壇	捉	餌	我	繰	封	塚	剝

合格を確実にする！
頻出度 C

四字熟語

※次の□に漢字を入れ、四字熟語を完成させよ。

- □ 1 □□瞭然（ちょっと見ただけで、よく分かること）
- □ 2 穂状□□（花軸上に小さい花が多数着生するつき方）
- □ 3 羽化□□（酒を飲むなどしてよい心持ちになること）
- □ 4 □□団結（団体の意見や行動目標をそろえる）
- □ 5 □□情緒（外国らしい風物がかもしだす雰囲気）
- □ 6 読書□□（書物を読んで昔の賢人をともとする）
- □ 7 □□将相（高貴な身分）
- □ 8 □□浮説（根拠のないいいかげんなうわさ）
- □ 9 □□大度（心が広くて度量が大きいこと）
- □ 10 □□転結（文章の構成法や物事の順序）
- □ 11 万代□□（永遠に変わらないこと）
- □ 12 □□一体（評判と実際とが一致していること）
- □ 13 皮相□□（学問や知識があさく内容がないこと）
- □ 14 和洋□□（日本と西洋の様式を調和させること）
- □ 15 臨機□□（状況の変化に応じて適切な処置をする）
- □ 16 言語□□（あまりのひどさに言葉にならない様子）
- □ 17 □□一失（賢いものにも一つくらい誤りがある）
- □ 18 乱臣□□（国を乱す悪臣と家庭を壊す親不孝者）
- □ 19 事実□□（事実に基づいていないこと）
- □ 20 無病□□（病気にかからず健康であること）
- □ 21 □□白日（心にやましいことがないたとえ）
- □ 22 一挙□□（一つのことで同時に二つの利益をえる）
- □ 23 知者□□（知者は物事の判断を迷うことはない）
- □ 24 □□一生（助かる見込みのない命が助かること）

目標正答率
書き取り80%
意味90%

／56

標準解答

1 一目瞭然（いちもくりょうぜん）
2 穂状花序（すいじょうかじょ）
3 羽化登仙（うかとうせん）
4 一致団結（いっちだんけつ）
5 異国情緒（いこくじょうちょ）
6 読書尚友（どくしょしょうゆう）
7 王侯将相（おうこうしょうしょう）
8 流言浮説（りゅうげんふせつ）
9 寛仁大度（かんじんたいど）
10 起承転結（きしょうてんけつ）
11 万代不易（ばんだいふえき）
12 名実一体（めいじついったい）
13 皮相浅薄（ひそうせんぱく）
14 和洋折衷（中）（わようせっちゅう）
15 臨機応変（りんきおうへん）
16 言語道断（ごんごどうだん）
17 千慮一失（せんりょのいっしつ）
18 乱臣賊子（らんしんぞくし）
19 事実無根（じじつむこん）
20 無病息災（むびょうそくさい）
21 青天白日（せいてんはくじつ）
22 一挙両得（いっきょりょうとく）
23 知者不惑（ちしゃふわく）
24 九死一生（きゅうしいっしょう）

□25 □□長大（どっしりとして大きい様子）

□26 草行□□（野原を進み野宿しながら旅をする）

□27 心神□□（精神がよわって正常な行動ができない）

□28 □□半生（生死の境にある状態）

□29 大山□□（騒ぎのわりには結果が小さいこと）

□30 □□名分（人として守るべき道理）

□31 □□不滅（永久に滅びないこと）

□32 □□自在（伸び縮みが思いのままであること）

□33 □□無魚（心が潔白過ぎて親しまれにくいこと）

□34 □□千金（わずかな時間が貴重であることのたとえ）

□35 □□直下（事態がきゅうに変化して物事が解決する）

□36 紅葉□□（縁を取り持つよい仲人のたとえ）

□37 □□無実（評判と実質が伴わないこと）

□38 自画□□（自分のことを自分でほめること）

□39 □□感覚（物事が安定した状態を保つ感覚）

□40 奇奇□□（常識では考えられない不思議なこと）

□41 被害□□（ありもしない危害を受けていると思うこと）

□42 □□耳視（見せかけの豪華さにとらわれぜいたくをする）

□43 □□強食（よわい者が強い者の犠牲になること）

□44 □□不断（いつまでも物事の決断ができないこと）

□45 □□八苦（さんざん骨を折ること）

□46 晴好□□（天気にかかわらず風景が美しいこと）

□47 □□伝心（文字や言葉によらずこころで通じ合う）

□48 □□同音（大勢が同じことを言うこと）

□49 一意□□（ひたすら一つのことに精神を集中する）

□50 □□遠謀（将来のことまで見通して計画を立てる）

□51 □□周到（準備に手ぬかりのない様子）

□52 □□暗鬼（なんでもないことにまで不安を覚える）

□53 多情□□（気まぐれだが薄情にはなれない性質）

□54 □□夢中（あることに没頭して自分を忘れること）

□55 心願□□（神仏などに心から念じると願いがかなう）

□56 人面□□（冷酷で義理人情をわきまえない人）

25 重厚長大（じゅうこうちょうだい）
26 草行露宿（そうこうろしゅく）
27 心神耗弱（しんしんこうじゃく）
28 半死半生（はんし（じ）はんしょう（せいじょう））
29 大山鳴動（たいざんめいどう）
30 大義名分（たいぎめいぶん）
31 不朽不滅（ふきゅうふめつ）
32 伸縮自在（しんしゅくじざい）
33 水清無魚（すいせいむぎょ）
34 一刻千金（いっこくせんきん）
35 急転直下（きゅうてんちょっか）
36 紅葉良媒（こうようりょうばい）
37 有名無実（ゆうめいむじつ）
38 自画自賛（じがじさん）
39 平衡感覚（へいこうかんかく）
40 奇奇(々)怪怪(々)（ききかいかい）
41 被害妄想（ひがいもうそう）
42 目食耳視（もくしょくじし）
43 弱肉強食（じゃくにくきょうしょく）
44 優柔不断（ゆうじゅうふだん）
45 四苦八苦（しくはっく）
46 晴好雨奇（せいこううき）
47 以心伝心（いしんでんしん）
48 異口同音（いくどうおん）
49 一意専心（いちいせんしん）
50 深慮遠謀（しんりょえんぼう）
51 用意周到（よういしゅうとう）
52 疑心暗鬼（ぎしんあんき）
53 多情仏心（たじょうぶっしん）
54 無我夢中（むがむちゅう）
55 心願成就（しんがんじょうじゅ）
56 人面獣心（じんめんじゅうしん）

誤字訂正

目標正答率
80%
／56

※次の文中にまちがって使われている漢字が一字ある。同じ音訓の正しい漢字を記せ。

□ 1 彼の料理の腕前は択越している。
□ 2 機械の操縦が効かず一時停止した。
□ 3 研究に情熱を燃焦し尽くした科学者だ。
□ 4 この地域の温泉は湯量が豊扶である。
□ 5 定められた制減速度を守って運転する。
□ 6 誤りに気着いた時は後の祭りだった。
□ 7 促製栽培された野菜が市場に出回る。
□ 8 病状が回復し小好状態を保っている。
□ 9 本邦でも培審員制度が採用されていた。
□ 10 若冠十八歳で取締役社長に就任した。
□ 11 有志一堂で母校に記念碑を建てた。
□ 12 平生の言葉使いに人柄が忍ばれる。
□ 13 再生紙に対する認識が社会に伸透した。
□ 14 彼は潔出した人物との評価が高い。
□ 15 上司から計画の方針を指唆された。
□ 16 新設した温室で熱体植物を栽培する。
□ 17 寝食を忘れて研究に没倒した。
□ 18 定期的に燃料を保給する必要がある。
□ 19 内装に合わせ各室の恵光灯を新調する。
□ 20 ひき逃げ事故は委然として未解決だ。
□ 21 水面に写る逆さ富士を湖岸で眺める。
□ 22 為政者によって異民族が拍害される。
□ 23 環境保護に向けて同一歩跳をとる。
□ 24 魚郡探知機を使っての漁が主流だ。

標準解答

1 択↓卓
2 効↓利
3 焦↓焼
4 扶↓富
5 減↓限
6 着↓付
7 製↓成
8 好↓康
9 培↓陪
10 若↓弱
11 堂↓同
12 使↓遣
13 伸↓浸
14 潔↓傑
15 指↓示
16 体↓帯
17 倒↓頭
18 保↓補
19 恵↓蛍
20 委↓依
21 写↓映
22 拍↓迫
23 跳↓調
24 郡↓群

□ 25 昇格試験では実力が十分発起できた。
□ 26 事態が紛窮し解決の糸口が見えない。
□ 27 条例を制定し街の美化に採り組む。
□ 28 敵軍の爆撃を受け基地は焼土と化した。
□ 29 法師の奏でる笛の音は哀折だ。
□ 30 両手で突いて体制を崩し強敵を倒した。
□ 31 豪問を加えて自白を強制する。
□ 32 流行性感冒が全国的に猛偉を振るった。
□ 33 市の共済による集会が無事幕を閉じた。
□ 34 地域医療の中殻を担う病院が閉鎖した。
□ 35 健実で安定した経営で難局を乗り切る。
□ 36 創意工夫を懲らし新商品を開発する。
□ 37 失敗を継機に原因を徹底的に洗い出す。
□ 38 悪条件を承知で登頂を慣行した。
□ 39 人事が従業員の呼用手続きを行う。
□ 40 和風庭園の梅の花が豊香を放つ。
□ 41 決戦投票で辛くも勝ち、市長となる。
□ 42 総方の主張を盛り込んだ折束案です。
□ 43 大企業の中崇で激職をこなす人物だ。
□ 44 地動説は宗教界に大きな破紋を投じた。
□ 45 大規模な隊列は勢力を固示して見せた。
□ 46 癖や習慣を直すのは容意ではない。
□ 47 最悪の事態を避けるための前後策だ。
□ 48 授業で講師から音譜の種類を習った。
□ 49 規制を緩和して景気の浮揺策をとる。
□ 50 着け込んだ白菜と大根を小鉢に盛る。
□ 51 故障した冷蔵庫の修理を委頼した。
□ 52 歓楽街で輪投げや射敵に興じた。
□ 53 受付の礼儀正しい応待に感心した。
□ 54 小石が敷き積められた庭園で憩う。
□ 55 昼食は時間内に各自で適義とろう。
□ 56 不法駐車が交通を防害している。

25 起→揮
26 窮→糾
27 採→取
28 焼→焦
29 折→切
30 制→勢
31 豪→拷
32 偉→威
33 済→催
34 殻→核
35 健→堅
36 懲→凝
37 継→契
38 慣→敢
39 呼→雇
40 豊→芳
41 戦→選
42 総→双
43 崇→枢
44 破→波
45 固→誇
46 意→易
47 前→善
48 譜→符
49 揺→揚
50 着→漬
51 委→依
52 敵→的
53 待→対
54 積→詰
55 義→宜
56 防→妨

合格を確実にする！

頻出度 C

対義語・類義語

※ □の中の語を必ず一度使って漢字に直し、対義語・類義語を記せ。

対義語

□ 1 落胆
□ 2 拡散
□ 3 豊富
□ 4 自慢
□ 5 愛好
□ 6 質素
□ 7 乾燥
□ 8 祝辞
□ 9 充実
□ 10 芳香

あくしゅう
ぎょうしゅく
くうきょ
けんお
ごうか
しつじゅん
ちょうじ
はっぷん
ひげ
ふってい

類義語

□ 11 鋭敏
□ 12 退却
□ 13 抄録
□ 14 首肯
□ 15 緩慢
□ 16 策略
□ 17 傾倒
□ 18 輸送
□ 19 関与
□ 20 承知

いんぼう
うんぱん
かいにゅう
じゅだく
しょうち
すうはい
ばっすい
はいそう
ゆうちょう
りはつ

標準解答

1 落胆（らくたん）↔発憤（はっぷん）（発奮）
2 拡散（かくさん）↔凝縮（ぎょうしゅく）
3 豊富（ほうふ）↔払底（ふってい）
4 自慢（じまん）↔卑下（ひげ）
5 愛好（あいこう）↔嫌悪（けんお）
6 質素（しっそ）↔豪華（ごうか）
7 乾燥（かんそう）↔湿潤（しつじゅん）
8 祝辞（しゅくじ）↔弔辞（ちょうじ）
9 充実（じゅうじつ）↔空虚（くうきょ）
10 芳香（ほうこう）↔悪臭（あくしゅう）

11 鋭敏（えいびん）＝利発（りはつ）
12 退却（たいきゃく）＝敗走（はいそう）
13 抄録（しょうろく）＝抜粋（ばっすい）
14 首肯（しゅこう）＝承知（しょうち）
15 緩慢（かんまん）＝悠長（ゆうちょう）
16 策略（さくりゃく）＝陰謀（いんぼう）（隠謀）
17 傾倒（けいとう）＝崇拝（すうはい）
18 輸送（ゆそう）＝運搬（うんぱん）
19 関与（かんよ）＝介入（かいにゅう）
20 承知（しょうち）＝受諾（じゅだく）

目標正答率 85%

／48

対義語

□21 酷評
□22 軽薄
□23 恥辱
□24 邪悪
□25 撤退
□26 歳暮
□27 追随
□28 厳密
□29 隆盛
□30 返還
□31 加重
□32 保存
□33 懇意
□34 草原

けいげん　さばく　じゅうこう　しんしゅつ　すいたい　ぜっさん　ぜんりょう　そえん　そっせん　そろう　ねんとう　はいき　ぼっしゅう　めいよ

類義語

□35 虚構
□36 醜聞
□37 偏屈
□38 専念
□39 気概
□40 本質
□41 冒頭
□42 習慣
□43 進呈
□44 消耗
□45 微妙
□46 手本
□47 操作
□48 不和

うんよう　おめい　かくう　かくしつ　がんめい　きぞう　げんそん　こうれい　せいずい　せんさい　はき　ほったん　ぼっとう　もはん

---

21 酷評(こくひょう)↔絶賛(ぜっさん)
22 軽薄(けいはく)↔重厚(じゅうこう)
23 恥辱(ちじょく)↔名誉(めいよ)
24 邪悪(じゃあく)↔善良(ぜんりょう)
25 撤退(てったい)↔進出(しんしゅつ)
26 歳暮(せいぼ)↔年頭(ねんとう)
27 追随(ついずい)↔率先(そっせん)
28 厳密(げんみつ)↔疎漏(そろう)(粗漏)
29 隆盛(りゅうせい)↔衰退(すいたい)
30 返還(へんかん)↔没収(ぼっしゅう)
31 加重(かじゅう)↔軽減(けいげん)
32 保存(ほぞん)↔廃棄(はいき)
33 懇意(こんい)↔疎遠(そえん)
34 草原(そうげん)↔砂漠(さばく)

35 虚構(きょこう)＝架空(かくう)
36 醜聞(しゅうぶん)＝汚名(おめい)
37 偏屈(へんくつ)＝頑迷(がんめい)(頑冥)
38 専念(せんねん)＝没頭(ぼっとう)
39 気概(きがい)＝覇気(はき)
40 本質(ほんしつ)＝精髄(せいずい)
41 冒頭(ぼうとう)＝発端(ほったん)
42 習慣(しゅうかん)＝恒例(こうれい)
43 進呈(しんてい)＝寄贈(きぞう)
44 消耗(しょうもう)＝減損(げんそん)
45 微妙(びみょう)＝繊細(せんさい)
46 手本(てほん)＝模範(もはん)
47 操作(そうさ)＝運用(うんよう)
48 不和(ふわ)＝確執(かくしつ)

C

同音・同訓異字―①

目標正答率85%

／56

※次の――線のカタカナを漢字に直せ。

□1 不要な書類をハキする。
□2 昔のようなハキが感じられない。

□3 竹筒に一枝をサした。
□4 花瓶に水をサした。

□5 台風で屋根がイタんだ。
□6 風邪を引いてのどがイタむ。

□7 月末で売り上げを一度シめる。
□8 有資格者が社員の半数をシめる。

□9 カの鳴くような声で話し始めた。
□10 花壇の菊のカがほのかに漂う。

□11 ごソウケンの由何よりです。
□12 未来が若者のソウケンにかかる。

□13 ホウヨウカのある親になりたい。
□14 泣き叫ぶ子どもをホウヨウした。

□15 複雑な数式をケンメイに計算する。
□16 中止の判断はケンメイだった。

□17 作詩にはセンサイな感覚が必要だ。
□18 センサイを顧みず大任を受けた。

□19 閣議でコウリョウが定められた。
□20 コウリョウたる景色が続く。

□21 川のセを徒歩で渡った。
□22 建物をセにして記念写真を撮る。

□23 カド松をかざって正月の準備をする。
□24 カドを曲がると図書館が見える。

標準解答

1 破棄
2 覇気
3 挿
4 差
5 傷
6 痛
7 締
8 占
9 蚊
10 香
11 壮健
12 双肩
13 包容
14 抱擁
15 懸命
16 賢明
17 繊細
18 浅才
19 綱領
20 荒涼
21 瀬
22 背
23 門
24 角

25 祖母の三**カイキ**の法要を営んだ。
26 **カイキ**小説を読む。

27 親の**カンショウ**を受けたくない。
28 映画を見て**カンショウ**的になった。

29 入り**エ**の波は穏やかだ。
30 吟詠は父の**エ**手とするところだ。

31 競合他社に**キョウイ**を感じる。
32 **キョウイ**的な記録を樹立する。

33 心が**ユウシュウ**に閉ざされた。
34 引退戦で**ユウシュウ**の美を飾った。

35 警視**ソウカン**に任命された。
36 不法入国で強制**ソウカン**された。

37 **ユウシ**を胸に上京を決意した。
38 職場の**ユウシ**でチームを作った。

39 財産を妻と子に**ジョウヨ**する。
40 **ジョウヨ**金を来期の予算に充てる。

41 日本列島を**ジュウダン**した。
42 要人が**ジュウダン**に倒れた。

43 **キカン**事業を軸に多角経営する。
44 スペースシャトルが**キカン**した。

45 優雅な**コト**の音が聞こえてくる。
46 隣家に**コト**づてを頼む。

47 贈り物を丁寧に**ホウソウ**する。
48 検事として**ホウソウ**界で活躍する。

49 技術の発展に**コウケン**した。
50 **コウケン**あらたかな神社だ。

51 国は中立の立場を**ケンジ**した。
52 彼女は自己**ケンジ**欲をおさえた。

53 人生についての**シサク**にふける。
54 政府の**シサク**を批判する。

55 やぶの中で虫に**サ**された。
56 人ごみを**サ**けて早朝に出かけた。

---

25 回忌　26 怪奇
27 干渉　28 感傷
29 江　30 得
31 脅威　32 驚異
33 憂(幽)愁　34 有終
35 総監　36 送還
37 雄志　38 有志
39 譲与　40 剰余

41 縦断　42 銃弾
43 基幹　44 帰還
45 琴　46 言
47 包装　48 法曹
49 貢献　50 効験
51 堅持　52 顕示
53 思索　54 施策
55 刺　56 避

頻出度

C 同音・同訓異字 ②

目標正答率 85%

／56

※次の――線のカタカナを漢字に直せ。

1 ギセイが最小限にとどまった。
2 ギセイ語の使い方が絶妙な作家だ。
3 日本髪にかんざしをサす。
4 落雷で杉の老木がサけた。
5 大自然の恵みをキョウジュする。
6 キョウジュの指導で論文を書く。
7 一部、地盤がチンカした町がある。
8 事故現場でチンカ作業が始まる。
9 顧客中心の考え方がカンヨウだ。
10 新居でカンヨウ植物を育てる。
11 肌をサすような北風が吹く。
12 話の途中で水をサすな。
13 順風を受け快調にハンソウする。
14 最寄りの病院にハンソウする。
15 街でホウショク販売店を経営する。
16 定年を迎えてホウショクを終えた。
17 医師からショウカイ状をもらう。
18 銀行口座の残高をショウカイする。
19 次年度にジョウヨ金を繰り越す。
20 遺言で全財産をジョウヨした。
21 キョウイ的な記録で優勝を果たす。
22 伝染病のキョウイにさらされる。
23 公認会計士のシカクを取得した。
24 暗殺を計画しシカクを放った。

標準解答

1 犠牲
2 擬声
3 挿
4 裂
5 享受
6 教授
7 沈下
8 鎮火
9 肝要
10 観葉
11 刺
12 差
13 帆走
14 搬送
15 宝飾
16 奉職
17 紹介
18 照会
19 剰余
20 譲与
21 驚異
22 脅威
23 資格
24 刺客

□ 25 俳人のソクセキをたどって旅する。
□ 26 昼食をソクセキ麺で済ませる。

□ 27 音楽を聴いてキョウシュウに浸る。
□ 28 敵の陣地をキョウシュウする。

□ 29 職務怠慢でユシ退職の処分を下す。
□ 30 減量中はユシ類の摂取を控える。

□ 31 トイレにショウシュウ剤を置く。
□ 32 隊員をショウシュウする。

□ 33 声を出して自らをフルい立たせる。
□ 34 緊張のあまり、声がフルえた。

□ 35 霊前で恩師の死をイタむ。
□ 36 季節の変わり目に古キズがイタむ。

□ 37 夕べは遅くに床にツいた。
□ 38 大根がおいしくツかった。

□ 39 年賀はがきを百枚以上スった。
□ 40 転んで膝をスりむいた。

□ 41 将軍の後を追いジュンシした。
□ 42 夜も町内のジュンシを続けた。

□ 43 円の中心からスイセンを引く。
□ 44 庭にスイセンの球根を植えた。

□ 45 ついに父の志をツぐ決意をした。
□ 46 東京にツぐ都市と自負している。

□ 47 空から南海のカンショウを見る。
□ 48 国境にカンショウ地帯を造る。

□ 49 被害者をイタむ碑を建てる。
□ 50 夏は食物のイタみが早い。

□ 51 首にネクタイをシめる。
□ 52 長く委員長の座をシめる。

□ 53 果敢に相手ゴールにセめ込む。
□ 54 旧友に不義理をセめられた。

□ 55 不要な書類をハキした。
□ 56 若者らしいハキに欠ける。

25 足跡
26 即席
27 郷愁
28 強襲
29 諭旨
30 油脂
31 消臭
32 召集
33 奮
34 震
35 悼
36 痛
37 就
38 漬
39 刷
40 擦

41 殉死
42 巡視
43 垂線
44 水仙
45 継
46 次
47 環礁
48 緩衝
49 悼
50 傷
51 締
52 占
53 攻
54 責
55 破棄
56 覇気

第1回 模擬試験

180点以上 合格安全圏
160点以上 合格範囲内
159点以下 努力が必要

制限時間：60分

/200

※実際の試験形式と異なる場合があります。実力チェック用としてお使いください。

1 次の――線の読みをひらがなで記せ。（各1×30＝30点）

1 **括弧**でくくって説明を補足する。（　　）
2 論敵の意見の矛盾を**喝破**した。（　　）
3 差し**障**りがあって参れません。（　　）
4 相手を**侮**って油断していた。（　　）
5 **釣果**を大げさに自慢する。（　　）
6 親友との間に**溝**を感じた。（　　）
7 友人に万引きを**唆**される。（　　）
8 革新的な産業が**興**る。（　　）
9 **累積**赤字の増大が問題化する。（　　）
10 庭に出て愛犬と**戯**れる。（　　）
11 証言内容を突如**翻**した。（　　）
12 全五十二巻、**逐次**刊行予定です。（　　）
13 空港と港で**検疫**を実施する。（　　）
14 **解毒**作用のある薬を服用する。（　　）
15 **狭量**な対応に不満が募る。（　　）
16 先例に**倣**って判断を下す。（　　）
17 子どもの笑顔に心が**和**んだ。（　　）
18 飼い猫の首輪に**鈴**をつける。（　　）
19 事故の犠牲者に**弔意**を表した。（　　）
20 度重なる戦争で国土が**荒廃**する。（　　）
21 **悲壮**な覚悟で事態の収拾をはかる。（　　）
22 納税の**督促**状を受け取る。（　　）
23 金星は**宵**の明星とも呼ばれている。（　　）
24 外務大臣が**更迭**された。（　　）
25 橋にかかる**荷重**を計算する。（　　）
26 朝顔は夏を**彩**る代表的な花だ。（　　）
27 戦国の世に**覇業**を成し遂げる。（　　）
28 胃を**患**って入院した。（　　）
29 事故の経緯を**詳述**する。（　　）
30 カタログの**頒布**価格は百円です。（　　）

2 次の漢字の部首を記せ。

（各1×10＝10点）

1 暮（　）　5 褒（　）　9 翁（　）
2 嗣（　）　6 戻（　）　10 軟（　）
3 索（　）　7 爵（　）
4 摩（　）　8 升（　）

3 熟語の構成のしかたには次のようなものがある。

ア 同じような意味の漢字を重ねたもの（例　岩石）
イ 反対または対応の意味を表す字を重ねたもの（例　高低）
ウ 上の字が下の字を修飾しているもの（例　洋画）
エ 下の字が上の字の目的語・補語になっているもの（例　着席）
オ 上の字が下の字の意味を打ち消しているもの（例　非常）

次の熟語はそのどれにあたるか、記号を記せ。

（各2×10＝20点）

1 叙勲（　）　5 罷業（　）　9 報酬（　）
2 点滅（　）　6 未遂（　）　10 忍苦（　）
3 露顕（　）　7 往還（　）
4 多寡（　）　8 舌禍（　）

4 次の四字熟語について問1 問2に答えよ。

問1 □の中の語を必ず一度使って漢字に直し、四字熟語を完成させよ。

（各2×10＝20点）

1 粉骨（　）　5 和衷（　）　9（　）万里
2 是非（　）　6（　）牛後　10 英俊（　）
3 精進（　）　7 白砂（　）
4 快刀（　）　8（　）努力

うんでい・きょうどう・きょくちょく・けいこう・けっさい・ごうけつ・さいしん・せいしょう・ふんれい・らんま

問2 次の意味にあてはまる四字熟語を問1の1〜10から一つ選び、記号で記せ。

（各2×5＝10点）

11 全力を尽くして努力すること。（　）
12 物事を手ぎわよく解決すること。（　）
13 非常に大きな差があること。（　）
14 心を同じくし力を合わせること。（　）
15 人並み外れた優れた人物。（　）

5 次の[　]の中の語を必ず一度使って漢字に直し、対義語・類義語を完成させよ。（各2×10＝20点）

【対義語】
1 獲得―（　）（　）
2 緩慢―（　）（　）
3 冗舌―（　）（　）
4 潤沢―（　）（　）
5 虚弱―（　）（　）

【類義語】
6 他界―（　）（　）
7 互角―（　）（　）
8 湯船―（　）（　）
9 残念―（　）（　）
10 永遠―（　）（　）

いかん・かもく・きょうそう・こかつ・じんそく・せい
きょ・そうしつ・はくちゅう・ゆうきゅう・よくそう

6 次の――線のカタカナを漢字に直せ。（各2×10＝20点）

1 アパートのカイシュウ工事が始まる。（　）
2 ペットボトルをカイシュウする。（　）
3 男子の夏服はカイキンシャツだ。（　）
4 中学三年間をカイキンで通した。（　）
5 ショウソウ気鋭の評論家だ。（　）
6 計画の実施には時期ショウソウだ。（　）
7 両親が二人の仲を無理やりサいた。（　）
8 時間をサいて送別会に顔を出した。（　）
9 カクシン政党に投票する。（　）
10 カクシンをついた質問を浴びせた。（　）

7 次の文中でまちがって使われている同じ音訓の漢字が一字ある。まちがっている漢字を上の（　）に、正しい漢字を下の（　）に記せ。（各2×5＝10点）

1 自然科学の研究者らが異常気象ともいえる都会の近年の刻暑を、冷房機の普及も一因と推測した。（　）→（　）
2 財界人に薦められた証券会社の店頭で名柄を指定して購入した株が予想外に値下がりし後悔した。（　）→（　）
3 定期検診で巡環器系統の機能の異常を告げられ主治医から検査のための通院と療養を勧められた。（　）→（　）
4 観客を魅了する名手の演舞は絶妙で、憂玄かつ雅趣に富む能の世界を巧みに描き劇壇からも賞賛を浴びている。（　）→（　）
5 観光で訪れた歴史ある著名な博物館は、その外装が鑑賞に値し某大な収集品の量にも圧倒される。（　）→（　）

8 次の――線のカタカナを漢字と送りがな（ひらがな）に直せ。（各2×5＝10点）

1 政治の腐敗に**イキドオル**。（　　）
2 **アヤツリ**人形で遊んだ。（　　）
3 自らを**イヤシメル**行為だ。（　　）
4 **ミニクイ**アヒルの子は白鳥になった。（　　）
5 高校時代が**ナツカシイ**。（　　）

9 次の――線のカタカナを漢字に直せ。（各2×25＝50点）

1 無名の新人が**トウカク**を現す。（　　）
2 **エリ**を正して校長先生の話を聞く。（　　）
3 家電量販店で**スイハン**器を買った。（　　）
4 銅を溶かして鐘を**イ**る。（　　）
5 互いに意見が**ス**れ違った。（　　）
6 予選でまさかの**ザンパイ**を喫した。（　　）
7 **ユウズウ**のきかない担当者だ。（　　）
8 卑劣な言動で**バンセツ**を汚した。（　　）
9 所定の書類に**オウイン**願います。（　　）
10 **ソウゴン**な鐘の音が境内に響く。（　　）
11 **ナマ**け者の節句働き。（　　）
12 **ソヨウ**に加えて努力が求められる。（　　）
13 **センパク**の往来が激しい海域だ。（　　）
14 公共施設の機能を**カクジュウ**した。（　　）
15 **コショウ**の微生物を調査する。（　　）
16 **ヤナギ**の葉が風に揺れている。（　　）
17 一芸に**ヒイ**でた学生を採用する。（　　）
18 ショパンのピアノ曲の**ガクフ**を買う。（　　）
19 **ギ**を重んじて何事にも筋を通す。（　　）
20 冬は**ダンロ**の火に心が和む。（　　）
21 木の切り**カブ**を利用して机を作る。（　　）
22 規則正しい生活を**ジッセン**する。（　　）
23 **コ**りずに同じ失敗を繰り返す。（　　）
24 **シャショウ**は発車ベルを押した。（　　）
25 師匠の**クントウ**を受けて立身した。（　　）

第2回 模擬試験

制限時間：60分

/200

※実際の試験形式と異なる場合があります。実力チェック用としてお使いください。

1 次の――線の読みをひらがなで記せ。（各1×30＝30点）

1 技術的には**稚拙**だが迫力がある。（　　）
2 **犬猿**の仲の二人が同席する。（　　）
3 契約の不**履行**をとがめられる。（　　）
4 戦争によって資料が**散逸**した。（　　）
5 **凡庸**でおもしろみのない人物だ。（　　）
6 経歴を**詐称**して売り込んだ。（　　）
7 機体に精密機器を**搭載**している。（　　）
8 **忌**まわしい過去を思い出す。（　　）
9 **弾劾**裁判所は国会議員で構成される。（　　）
10 大音量の音楽に**思索**を邪魔された。（　　）
11 どうにも腹に**据**えかねる発言だ。（　　）
12 **因循**な態度で女性に嫌われた。（　　）
13 主張が認められて**赦免**された。（　　）
14 「**清祥**」は書簡に使われる言葉だ。（　　）
15 彼とは**会釈**を交わす程度の仲だ。（　　）

16 緑**滴**る山野を散策する。（　　）
17 劇に**端役**で出演した。（　　）
18 天皇陛下から**勅命**を賜る。（　　）
19 日が落ちて**漆黒**の闇になった。（　　）
20 整形外科で骨を**接**いだ。（　　）
21 食餌療法と運動療法を**併用**する。（　　）
22 銃口から**硝煙**のにおいが漂う。（　　）
23 いささか**首肯**しかねるご意見ですね。（　　）
24 手続きの**煩**わしさに嫌気がさした。（　　）
25 布きんを**煮沸**消毒した。（　　）
26 **疎遠**だった親族と再会する。（　　）
27 この件は委員会に**諮**ることにしよう。（　　）
28 問題の解決に**難渋**している。（　　）
29 **厳**かな雰囲気を漂わせた神殿だ。（　　）
30 **好事家**のコレクションに驚く。（　　）

2 次の漢字の部首を記せ。

(各1×10=10点)

1 斉（　）
2 麻（　）
3 賓（　）
4 磨（　）
5 魔（　）
6 真（　）
7 尉（　）
8 甚（　）
9 亭（　）
10 塑（　）

3 熟語の構成のしかたには次のようなものがある。

ア 同じような意味の漢字を重ねたもの（例 岩石）
イ 反対または対応の意味を表す字を重ねたもの（例 高低）
ウ 上の字が下の字を修飾しているもの（例 洋画）
エ 下の字が上の字の目的語・補語になっているもの（例 着席）
オ 上の字が下の字の意味を打ち消しているもの（例 非常）

次の熟語はそのどれにあたるか、記号を記せ。

(各2×10=20点)

1 浄財（　）
2 贈答（　）
3 抑揚（　）
4 隠顕（　）
5 早晩（　）
6 上棟（　）
7 未遂（　）
8 殉教（　）
9 享楽（　）
10 及落（　）

4 次の四字熟語について 問1 問2 に答えよ。

問1 [　] の中の語を必ず一度使って漢字に直し、四字熟語を完成させよ。

(各2×10=20点)

1（　）丁寧
2 比翼（　）
3（　）即妙
4 一陽（　）
5 泰山（　）
6 情状（　）
7 会者（　）
8（　）妄動
9 群雄（　）
10（　）粛正

かっきょ・けいきょ・こうき・こんせつ・しゃくりょう・じょうり・とうい・ほくと・らいふく・れんり

問2 次の意味にあてはまる四字熟語を 問1 の1～10から一つ選び、記号で記せ。

(各2×5=10点)

11 多くの実力者が対立しあうこと。（　）
12 男女が仲むつまじい様子。（　）
13 あえば、必ずわかれる運命にあるということ。（　）
14 物事が回復することのたとえ。（　）
15 状況に応じて機転をきかせること。（　）

5 **次の［　］の中の語を必ず一度使って漢字に直し、対義語・類義語を完成させよ。**（各2×10＝20点）

【対義語】

1 下落―（　　）

2 新奇―（　　）

3 祝賀―（　　）

4 隆起―（　　）

5 栄転―（　　）

【類義語】

6 昼寝―（　　）

7 脅迫―（　　）

8 抜粋―（　　）

9 公開―（　　）

10 譲歩―（　　）

あいとう・いかく・かんぼつ・ごすい・させん・しょうろく・だきょう・ちんぷ・とうき・ひろう

6 **次の――線のカタカナを漢字に直せ。**（各2×10＝20点）

1 言葉をツツシみなさい。（　　）

2 **ツツシ**んでお祝いを申し上げます。（　　）

3 左利きは**キョウセイ**するに及ばない。（　　）

4 寄付の**キョウセイ**に反発する。（　　）

5 サンダルを**ハ**いて買い物に出かけた。（　　）

6 飲み過ぎて**ハ**いてしまった。（　　）

7 交通**ジュウタイ**で約束に遅れた。（　　）

8 二列**ジュウタイ**で行進する。（　　）

9 **オウシュウ**は通貨の統一を行った。（　　）

10 検察が証拠品を**オウシュウ**した。（　　）

7 **次の文中でまちがって使われている同じ音訓の漢字が一字ある。まちがっている漢字を上の（　）に、正しい漢字を下の（　）に記せ。**（各2×5＝10点）

1 郊外の住宅地で昨未明に発生した大規模な火災で、避難者の救出にあたった消防士が二名准職した。（　）→（　）

2 馬子にも衣粧と言うが、成人式を迎えた晴れ着姿の姉の美しさに家族一同目を奪われた。（　）→（　）

3 不況の打開策として入念に練られた構想が機道に乗り、回復した業績を急伸させる契機となった。（　）→（　）

4 若冠二十歳で就職し社長にまで上り詰めて立候補し、決選投票の末に代議士となった経歴の持ち主だ。（　）→（　）

5 低血圧の弟は、起き抜けは気嫌が悪く洗顔もせずに黙って着替え、朝食もとらずに仏頂面で登校する。（　）→（　）

8 **次の――線のカタカナを漢字と送りがな（ひらがな）に直せ。**（各2×5＝10点）

1 表面に樹脂加工を**ホドコス**。（　　）
2 食料が**トボシク**なってきた。（　　）
3 前言を**ヒルガエシ**て反対する。（　　）
4 **アワタダシイ**日々を送っております。（　　）
5 娘は商家に**トツイ**だ。（　　）

9 **次の――線のカタカナを漢字に直せ。**（各2×25＝50点）

1 試験の前に縁起を**カツ**ぐ。（　　）
2 新しい寺院を**コンリュウ**する。（　　）
3 **サイケン**者に借金を返済する。（　　）
4 副作用の**ショウレイ**を調べる。（　　）
5 父が引退し家業を**ツ**いだ。（　　）
6 酒は米を**ハッコウ**させて造る。（　　）
7 部屋の**スミ**に観葉植物をかざった。（　　）
8 奥歯に物が**ハサ**まる。（　　）
9 **ヨジョウ**資金を開発費用に回す。（　　）
10 **ヤッカイ**な問題に巻き込まれた。（　　）
11 都会の川にも**ホタル**が戻ってきた。（　　）
12 火を扱う際は**カンキ**に注意する。（　　）
13 重大な**ケンアン**に取り組む。（　　）
14 景気回復の**キザ**しが見えてきた。（　　）
15 結婚祝いに**カビン**をもらった。（　　）
16 細部に**コウデイ**して全体を見失う。（　　）
17 気品とユーモアで人々を**ミワク**した。（　　）
18 **シモバシラ**を踏みつけながら歩く。（　　）
19 **シンジュ**の首飾りを贈られた。（　　）
20 自由で平和な生活を**カツボウ**する。（　　）
21 何事にも好奇心が**オウセイ**だ。（　　）
22 他人に分け隔てなく**クドク**を施す。（　　）
23 差別発言で物議を**カモ**した。（　　）
24 アメリカの球団に**イセキ**した。（　　）
25 **ユイショ**ある温泉旅館に一泊した。（　　）

第1回 模擬試験 標準解答

1 読み 各1点(30)

1 かっこ
2 かっぱ
3 さわ
4 あなど
5 ちょうか
6 みぞ
7 そそのか
8 おこ
9 るいせき
10 たわむ
11 ひるがえ
12 ちくじ
13 けんえき
14 げどく
15 きょうりょう
16 なら
17 なご
18 すず
19 ちょうい
20 こうはい
21 ひそう
22 とくそく
23 よい
24 こうてつ
25 かじゅう
26 いろど
27 はぎょう
28 わずら
29 しょうじゅつ
30 はんぷ

2 部首 各1点(10)

1 日
2 口
3 糸
4 手
5 衣
6 戸
7 ⺍
8 十
9 羽
10 車

3 熟語の構成 各2点(20)

1 エ
2 イ
3 ア
4 イ
5 エ
6 オ
7 イ
8 ウ
9 ア
10 エ

4 四字熟語

問1 各2点(20)

1 砕身
2 曲直
3 潔斎
4 乱麻
5 協同
6 鶏口
7 青松
8 奮励
9 雲泥
10 豪傑

問2 各2点(10)

11 1
12 4
13 9
14 5
15 10

5 対義語・類義語 各2点(20)

1 喪失
2 迅速
3 寡黙
4 枯渇
5 強壮
6 逝去
7 伯仲
8 浴槽
9 遺憾
10 悠久

6 同音・同訓異字 各2点(20)

1 改修
2 回収
3 開襟
4 皆勤
5 少壮
6 尚早
7 裂
8 割
9 革新
10 核心

7 誤字訂正 各2点(10)

1 刻→酷
2 名→銘
3 巡→循
4 憂→幽
5 某→膨

8 送りがな 各2点(10)

1 憤る
2 操り
3 卑しめる
4 醜い
5 懐かしい

9 書き取り 各2点(50)

1 頭角
2 襟
3 炊飯
4 鋳
5 擦
6 惨敗
7 融通
8 晩節
9 押印
10 荘厳
11 怠
12 素養
13 船舶
14 拡充
15 湖沼
16 柳
17 秀
18 楽譜
19 義
20 暖炉
21 株
22 実践
23 懲
24 車掌
25 薫陶

第2回 模擬試験 標準解答

1 読み 各1点(30)

番号	解答	番号	解答
1	ちせつ	16	したた
2	けんえん	17	はやく
3	りこう	18	ちょくめい
4	さんいつ	19	しっこく
5	ぼんよう	20	つ
6	さしょう	21	へいよう
7	とうさい	22	しょうえん
8	い	23	しゅこう
9	だんがい	24	わずら
10	しさく	25	しゃふつ
11	す	26	そえん
12	いんじゅん	27	はか
13	しゃめん	28	なんじゅう
14	せいしょう	29	おごそ
15	えしゃく	30	こうずか

2 部首 各1点(10)

番号	解答	番号	解答
1	斉	6	目
2	麻	7	寸
3	貝	8	甘
4	石	9	亠
5	鬼	10	土

3 熟語の構成 各2点(20)

番号	解答	番号	解答
1	ウ	6	エ
2	イ	7	オ
3	イ	8	エ
4	イ	9	エ
5	イ	10	イ

4 四字熟語

問1 各2点(20)

番号	解答
1	懇切
2	連理
3	当意
4	来復
5	北斗
6	酌量
7	定離
8	軽挙
9	割拠
10	綱紀

問2 各2点(10)

番号	解答
11	9
12	2
13	7
14	4
15	3

5 対義語・類義語 各2点(20)

番号	解答
1	騰貴
2	陳腐
3	哀悼
4	陥没
5	左遷
6	午睡
7	威嚇
8	抄録
9	披露
10	妥協

6 同音・同訓異字 各2点(20)

番号	解答
1	慎
2	謹
3	矯正
4	強制
5	履
6	吐
7	渋滞
8	縦隊
9	欧州
10	押収

7 誤字訂正 各2点(10)

番号	解答
1	准→殉
2	粧→装
3	機→軌
4	若→弱
5	気→機

8 送りがな 各2点(10)

番号	解答
1	施す
2	乏しく
3	翻し
4	慌ただしい
5	嫁い

9 書き取り 各2点(50)

番号	解答	番号	解答
1	担	14	兆
2	建立	15	花瓶
3	債権	16	拘泥
4	症例	17	魅惑
5	継	18	霜柱
6	発酵	19	真珠
7	隅	20	渇望
8	挟	21	旺盛
9	余剰	22	功徳
10	厄介	23	醸
11	蛍	24	移籍
12	換気	25	由緒
13	懸案		

2級新出配当漢字一覧

配当漢字を部首ごとにまとめ、過去に出題された用例を頻出順にのせています。
色がついている漢字は、試験によく出る漢字です。

部首	漢字	頻出用例
丨（ぼう・たてぼう）	串	串（くし）
丶（てん）	丼	丼鉢（どんぶりばち）
乙（おつ）	乞	乞う（こう）・命乞い（いのちごい）
亻（にんべん）	俺	俺（おれ）
	伎	歌舞伎（かぶき）
	僅	僅か（わずか）・僅差（きんさ）・僅少（きんしょう）
	傲	傲慢（ごうまん）・傲然（ごうぜん）
	侶	伴侶（はんりょ）・僧侶（そうりょ）
冖（わかんむり）	冥	冥土（めいど）・冥利（みょうり）・冥福（めいふく）
冫（にすい）	凄	凄惨（せいさん）・凄絶（せいぜつ）
	冶	陶冶（とうや）・冶金（やきん）
刂（りっとう）	**刹**	刹那（せつな）・名刹（めいさつ）
	剝	剝ぐ（はぐ）・剝落（はくらく）・剝奪（はくだつ）・剝製（はくせい）
力（ちから）	**勃**	勃興（ぼっこう）・勃発（ぼっぱつ）
勹（つつみがまえ）	勾	勾配（こうばい）
	匂	匂う（におう）
口（くち）	呂	風呂（ふろ）・語呂（ごろ）
口（くちへん）	咽	咽頭（いんとう）・咽喉（いんこう）
	唄	長唄（ながうた）
	嗅	嗅覚（きゅうかく）・嗅ぐ（かぐ）
	喉	喉元（のどもと）・喉（のど）・咽喉（いんこう）
	叱	叱責（しっせき）・叱る（しかる）・叱正（しっせい）・叱声（しっせい）
	呪	呪縛（じゅばく）・呪う（のろう）・呪文（じゅもん）・呪術（じゅじゅつ）
	唾	唾棄（だき）・生唾（なまつば）・眉唾物（まゆつばもの）・唾液（だえき）・唾（つば）
	嘲	嘲る（あざける）・嘲笑（ちょうしょう）・嘲罵（ちょうば）・自嘲（じちょう）
	哺	哺乳（ほにゅう）・哺乳類（ほにゅうるい）
	喩	比喩（ひゆ）
土（つち）	**塞**	塞ぐ（ふさぐ）・閉塞（へいそく）・要塞（ようさい）・城塞（じょうさい）・梗塞（こうそく）・塞翁（さいおう）
土（つちへん）	堆	堆積（たいせき）・堆肥（たいひ）
	填	補填（ほてん）・装填（そうてん）・充填（じゅうてん）
大（だい）	爽	爽涼（そうりょう）・爽やか（さわやか）・爽快（そうかい）
女（おんなへん）	嫉	嫉妬（しっと）・嫉視（しっし）
	妬	妬む（ねたむ）・嫉妬（しっと）

部首	漢字	頻出用例
	妖	妖（あや）しい・妖艶（ようえん）・妖精（ようせい）・妖怪（ようかい）・妖術（ようじゅつ）
宀（うかんむり）	宛	宛先（あてさき）・宛（あ）てる
尸（かばね・しかばね）	尻	尻込（しりご）み・尻目（しりめ）・尻尾（しりお）・尻拭（しりぬぐ）い・尻馬（しりうま）・尻（しり）
山（やま）	嵐	嵐（あらし）・砂嵐（すなあらし）
	崖	断崖（だんがい）・崖（がけ）
巾（はば）	巾	雑巾（ぞうきん）・巾着（きんちゃく）・布巾（ふきん）・頭巾（ずきん）
廾（こまぬき・にじゅうあし）	弄	弄（もてあそ）ぶ・翻弄（ほんろう）・玩弄（がんろう）・愚弄（ぐろう）
弓（ゆみへん）	弥	
彑（けいがしら）	彙	語彙（ごい）
心（こころ）	怨	怨念（おんねん）・怨霊（おんりょう）・私怨（しえん）・怨恨（えんこん）
	恣	恣意（しい）

部首	漢字	頻出用例
忄（りっしんべん）	惧	危惧（きぐ）
	憬	憧憬（しょうけい）
	憧	憧（あこが）れる・憧憬（しょうけい）
	慄	戦慄（せんりつ）・慄然（りつぜん）
戈（ほこづくり・ほこがまえ）	戚	親戚（しんせき）・姻戚（いんせき）
	戴	戴冠（たいかん）・頂戴（ちょうだい）・推戴（すいたい）
手（て）	拳	拳（こぶし）・拳銃（けんじゅう）・拳法（けんぽう）・鉄拳（てっけん）
	摯	真摯（しんし）
扌（てへん）	挨	挨拶（あいさつ）
	挫	挫折（ざせつ）・捻挫（ねんざ）・頓挫（とんざ）
	拶	挨拶（あいさつ）

部首	漢字	頻出用例
	拭	払拭（ふっしょく）・拭（ぬぐ）う・尻拭（しりぬぐ）い
	捉	把捉（はそく）・捕捉（ほそく）・捉（とら）える
	捗	進捗（しんちょく）
	捻	捻出（ねんしゅつ）・捻挫（ねんざ）
	拉	拉致（らち）
文（ぶん）	斑	斑点（はんてん）
斤（おのづくり）	斬	斬新（ざんしん）・斬（き）る
日（ひ）	旦	旦夕（たんせき）・旦那（だんな）・元旦（がんたん）
日（ひへん）	曖	曖昧（あいまい）
	旺	旺盛（おうせい）
	昧	曖昧（あいまい）・三昧（ざんまい）・愚昧（ぐまい）・不昧（ふまい）

部首	漢字	頻出用例
曰（ひらび・いわく）	曽	曽祖父（そうそふ）
木（き）	麓	山麓（さんろく）・麓（ふもと）
木（きへん）	椅	椅子（いす）・車椅子（くるまいす）
	楷	
	柿	柿（かき）・渋柿（しぶがき）
	桁	橋桁（はしげた）・桁（けた）・桁外れ（けたはずれ）
	梗	梗概（こうがい）・梗塞（こうそく）
	柵	柵（さく）
	椎	脊椎（せきつい）・椎間板（ついかんばん）
	枕	枕（まくら）・枕元（まくらもと）・肘枕（ひじまくら）
殳（るまた・ほこづくり）	毀	毀誉（きよ）・毀損（きそん）

部首	漢字	頻出用例
氵（さんずい）	淫	
	潰	潰れる（つぶれる）・潰瘍（かいよう）・潰滅（かいめつ） 全潰（ぜんかい）
	沙	沙汰（さた）・表沙汰（おもてざた） 音沙汰（おとさた）
	汰	沙汰（さた）・表沙汰（おもてざた） 音沙汰（おとさた）
	溺	惑溺（わくでき）・溺れる（おぼれる）・溺愛（できあい）
	氾	氾濫（はんらん）
	汎	汎用（はんよう）・汎論（はんろん）・広汎（こうはん）
	湧	湧出（ゆうしゅつ）・湧く（わく）
	沃	肥沃（ひよく）・沃土（よくど）・沃野（よくや） 豊沃（ほうよく）
灬（れんが・れっか）	煎	煎餅（せんべい）・煎る（いる）・煎茶（せんちゃ） 湯煎（ゆせん）
爪（つめ）	爪	爪（つめ）・爪先（つまさき）・爪弾き（つまはじき） 爪痕（つめあと）

部首	漢字	頻出用例
牙（きば）	牙	歯牙（しが）・象牙（ぞうげ）・毒牙（どくが） 牙城（がじょう）・牙（きば）
犭（けものへん）	狙	狙う（ねらう）・狙撃（そげき）
玉（たま）	璧	完璧（かんぺき）・双璧（そうへき）
王（おうへん・たまへん）	玩	玩弄（がんろう）・玩具（がんぐ）・愛玩（あいがん）
	璃	瑠璃（るり）・瑠璃色（るりいろ） 浄瑠璃（じょうるり）
	瑠	瑠璃（るり）・瑠璃色（るりいろ） 浄瑠璃（じょうるり）
瓦（かわら）	瓦	瓦（かわら）・瓦解（がかい）
田（た）	畏	畏怖（いふ）・畏敬（いけい）・畏れる（おそれる） 畏縮（いしゅく）
	畿	
疒（やまいだれ）	痕	血痕（けっこん）・痕跡（こんせき）・爪痕（つめあと） 痕（あと）・弾痕（だんこん）
	痩	痩身（そうしん）・痩せる（やせる）

部首	漢字	頻出用例
	瘍	潰瘍(かいよう)・腫瘍(しゅよう)
目(め)	眉	眉(まゆ)・焦眉(しょうび)・愁眉(しゅうび)・白眉(はくび)・眉間(みけん)・眉唾物(まゆつばもの)
目(めへん)	瞳	瞳孔(どうこう)・瞳(ひとみ)
	睦	親睦(しんぼく)・和睦(わぼく)
	瞭	明瞭(めいりょう)
禾(のぎへん)	稽	滑稽(こっけい)・稽古(けいこ)
穴(あなかんむり)	窟	巣窟(そうくつ)・洞窟(どうくつ)
竹(たけかんむり)	箋	便箋(びんせん)・処方箋(しょほうせん)・付箋(ふせん)
	箸	箸(はし)
	籠	籠城(ろうじょう)・籠絡(ろうらく)・灯籠(とうろう)・籠(こ)もる・鳥籠(とりかご)・花籠(はなかご)
糸(いとへん)	綻	綻(ほころ)びる・破綻(はたん)
	緻	緻密(ちみつ)・細緻(さいち)・巧緻(こうち)・精緻(せいち)
罒(あみがしら あみめ・よこめ)	罵	罵倒(ばとう)・罵(ののし)る・罵声(ばせい)・嘲罵(ちょうば)
羊(ひつじ)	羞	羞恥心(しゅうちしん)・含羞(がんしゅう)
	羨	羨(うらや)む・羨望(せんぼう)
肉(にく)	腎	腎臓(じんぞう)・肝腎(かんじん)
	脊	脊椎(せきつい)・脊髄(せきずい)
月(にくづき)	臆	臆面(おくめん)・臆説(おくせつ)・臆病(おくびょう)・臆断(おくだん)・臆測(おくそく)
	股	四股(しこ)・大股(おおまた)
	腫	腫(は)れる・腫瘍(しゅよう)
	腺	涙腺(るいせん)
	膳	配膳(はいぜん)
	膝	膝頭(ひざがしら)・膝詰(ひざづ)め・膝(ひざ)
	肘	肩肘(かたひじ)・肘枕(ひじまくら)・肘(ひじ)
	脇	脇道(わきみち)・脇目(わきめ)・脇見(わきみ)・脇腹(わきばら)・脇役(わきやく)・両脇(りょうわき)
臼(うす)	臼	脱臼(だっきゅう)・石臼(いしうす)・臼(うす)
舟(ふねへん)	舷	右舷(うげん)
色(いろ)	艶	艶然(えんぜん)・艶(つや)・艶消(つやけ)し・妖艶(ようえん)
艹(くさかんむり)	萎	萎(な)える・萎縮(いしゅく)
	苛	苛烈(かれつ)・苛酷(かこく)
	蓋	火蓋(ひぶた)・蓋然(がいぜん)・蓋(ふた)
	葛	葛餅(くずもち)・葛(くず)・葛藤(かっとう)
	芯	芯(しん)

部首	漢字	頻出用例
	藤	藤色（ふじいろ）・葛藤（かっとう）・藤棚（ふじだな）
	蔽	隠蔽（いんぺい）・遮蔽（しゃへい）
	蔑	蔑む（さげすむ）・軽蔑（けいべつ）・侮蔑（ぶべつ）・蔑視（べっし）
	藍	藍染め（あいぞめ）・出藍（しゅつらん）・藍（あい）
虍（とらがしら・とらかんむり）	虎	虎（とら）
虫（むし）	蜜	蜂蜜（はちみつ）・蜜（みつ）・蜜蜂（みつばち）
虫（むしへん）	虹	虹（にじ）・虹色（にじいろ）
	蜂	蜂起（ほうき）・養蜂（ようほう）・蜂蜜（はちみつ）・蜂（はち）・蜜蜂（みつばち）
衤（ころもへん）	袖	領袖（りょうしゅう）・袖（そで）・袖口（そでぐち）・半袖（はんそで）
	裾	裾野（すその）・山裾（やますそ）・裾（すそ）
言（ごんべん）	諧	俳諧（はいかい）

部首	漢字	頻出用例
	詣	造詣（ぞうけい）・参詣（さんけい）・詣でる（もうでる）
	詮	詮索（せんさく）・詮議（せんぎ）・所詮（しょせん）
	誰	誰（だれ）
	諦	諦める（あきらめる）
	謎	謎（なぞ）
	訃	訃報（ふほう）
豸（むじなへん）	貌	容貌（ようぼう）・美貌（びぼう）・全貌（ぜんぼう）・風貌（ふうぼう）・変貌（へんぼう）
貝（かい・こがい）	貪	貪る（むさぼる）・貪欲（どんよく）
貝（かいへん）	貼	貼る（はる）
	賭	賭ける（かける）・賭博（とばく）
	賂	賄賂（わいろ）

部首	漢字	頻出用例
⻊（あしへん）	蹴	一蹴（いっしゅう）・蹴る（ける）・蹴飛ばす（けとばす）・蹴散らす（けちらす）
	踪	失踪（しっそう）
辛（からい）	辣	辛辣（しんらつ）・辣腕（らつわん）・悪辣（あくらつ）
辶（しんにょう・しんにゅう）	遡	遡上（そじょう）・遡る（さかのぼる）・遡行（そこう）・遡源（そげん）
	遜	謙遜（けんそん）・不遜（ふそん）・遜色（そんしょく）
阝（おおざと）	那	刹那（せつな）・旦那（だんな）
酉（とりへん）	醒	覚醒（かくせい）
	酎	焼酎（しょうちゅう）
釆（のごめ）	采	采配（さいはい）・風采（ふうさい）・喝采（かっさい）
麦（ばくにょう）	麺	乾麺（かんめん）・麺類（めんるい）
金（かね）	釜	釜（かま）・釜飯（かまめし）・後釜（あとがま）

部首	漢字	頻出用例
金(かねへん)	鎌	鎌(かま)・鎌首(かまくび)
	錦	錦秋(きんしゅう)・錦絵(にしきえ)・錦(にしき)
	鍵	鍵(かぎ)・鍵盤(けんばん)・鍵穴(かぎあな)
	錮	禁錮(きんこ)
	鍋	鍋(なべ)・土鍋(どなべ)
門(もんがまえ)	闇	宵闇(よいやみ)・闇(やみ)・夕闇(ゆうやみ)・闇雲(やみくも)・暗闇(くらやみ)・闇夜(やみよ)
阝(こざとへん)	隙	間隙(かんげき)・空隙(くうげき)・隙間(すきま)・隙(すき)
頁(おおがい)	顎	顎(あご)
	頃	日頃(ひごろ)・頃(ころ)・手頃(てごろ)・頃合い(ころあい)
	須	必須(ひっす)・急須(きゅうす)
	頓	整頓(せいとん)・頓服(とんぷく)・頓挫(とんざ)・頓首(とんしゅ)・頓狂(とんきょう)・頓才(とんさい)

部首	漢字	頻出用例
	頬	
飠(しょくへん)	餌	好餌(こうじ)・餌食(えじき)
	餅	葛餅(くずもち)・煎餅(せんべい)・鏡餅(かがみもち)・尻餅(しりもち)・草餅(くさもち)
馬(うまへん)	駒	駒(こま)
骨(ほねへん)	骸	形骸(けいがい)・残骸(ざんがい)・骸骨(がいこつ)・死骸(しがい)
鬯(ちょう)	鬱	鬱屈(うっくつ)・憂鬱(ゆううつ)・陰鬱(いんうつ)・沈鬱(ちんうつ)・鬱血(うっけつ)・鬱憤(うっぷん)
韋(なめしがわ)	韓	
鳥(とり)	鶴	鶴(つる)
亀(かめ)	亀	亀(かめ)・亀裂(きれつ)

※「漢字検定」「漢検」は、公益財団法人 日本漢字能力検定協会の登録商標です。

受検をお考えの方は、必ずご自身で公益財団法人 日本漢字能力検定協会の発表する最新情報をご確認ください。
ホームページ：https://www.kanken.or.jp/kanken/
【試験に関する問い合わせ】
・ホームページ（問い合わせフォーム）：**https://www.kanken.or.jp/kanken/contact/**
・電話：**0120-509-315**

編集協力（データ分析、一部問題作成）　岡野秀夫

漢字検定2級〔頻出度順〕問題集

編　者　資格試験対策研究会
発行者　清水美成
発行所　**株式会社 高橋書店**
〒170-6014 東京都豊島区東池袋3-1-1 サンシャイン60 14階
電話　03-5957-7103

本書の内容についてのご質問は「書名、質問事項（ページ、内容）、お客様のご連絡先」を明記のうえ、郵送、FAX、ホームページお問い合わせフォームから小社へお送りください。

回答にはお時間をいただく場合がございます。また、電話によるお問い合わせ、本書の内容を超えたご質問にはお答えできませんので、ご了承ください。本書に関する正誤等の情報は、小社ホームページもご参照ください。

【内容についての問い合わせ先】
書　面　〒170-6014 東京都豊島区東池袋3-1-1 サンシャイン60 14階　高橋書店編集部
F A X　03-5957-7079
メール　小社ホームページお問い合わせフォームから　（https://www.takahashishoten.co.jp/）

【不良品についての問い合わせ先】

ページの順序間違い・抜けなど物理的欠陥がございましたら、電話03-5957-7076へお問い合わせください。

ただし、古書店等で購入・入手された商品の交換には一切応じられません。